Someter a los dioses, dudar de las imágenes

Este libro pertenece a la colección

PARADIGMA INDICIAL

Johannes Neurath

Someter a los dioses, dudar de las imágenes

Enfoques relacionales en el estudio del arte ritual amerindio

sb

Madrid - Santiago - Montevideo - Asunción - Lima - Buenos Aires - Bogotá - México

Neurath, Johannes
Someter a los dioses, dudar de las imágenes : enfoques relacionales en el estudio del arte ritual / Johannes Neurath. - 1a ed . - Ciudad Autónoma de Buenos Aires : Sb, 2020.
174 p. ; 23 x 16 cm. - (Paradigma indicial / Wilde, Guillermo; Arte, estética e imagen ; 30)
ISBN 978-987-4434-86-9

1. Antropología Cultural. 2. Arte Americano. 3. Historia del Arte. I. Título.
CDD 306

ISBN 978-987-4434-86-9

Piedras 113, 4º 8 - C1070AAC - Ciudad Autónoma de Buenos Aires
Tel.: (+54) (11) 2153-0851 - www.editorialsb.com • ventas@editorialsb.com.ar

1ª edición, octubre de 2020

Director general: Andrés C. Telesca (andres.telesca@editorialsb.com.ar)
Director de colección: Guillermo Wilde (guillermowilde@gmail.com)
Diseño de cubierta e interior: Cecilia Ricci (riccicecilia2004@gmail.com)

Imágenes de tapa. Arriba: Copa 165 de Spiro, con posible escena de flechamiento ritual. Abajo: Cosmograma con felinos. Copa 228 de concha de caracol marino grabado, Spiro, Oklahoma. Imagen de contratapa: José Benítez Sánchez, La visión de Tatutsi Xuweri Timaiweme, tabla de estambre (Museo Nacional de Antropología).

Queda hecho el depósito que marca la Ley 11.723

Distribuidores.

Argentina: Waldhuter Libros • Pavón 2636 - Ciudad Autónoma de Buenos Aires
(+54) (11) 6091-4786 • www.waldhuter.com.ar • francisco@waldhuter.com.ar

España: Logista Libros • Pol. Ind. La Quinta, Av. de Castilla-la Mancha, 2, Cabanillas del Campo, Guadalajara (+34) 902 151 242 • logistalibros@logista.es

Colombia: Campus editorial • Carrera 51 # 103 B 93 Int 505 - Bogotá
(+57) (1) 6115736 - info@campuseditorial.com

Chile: Alphilia Distribuciones / LaKomuna • Pedro León Ugalde 1433 - Santiago de Chile (+56) (2) 25441234 - www.https://www.alphilia.cl - contacto@alphilia.cl

Uruguay: América Latina Libros • Av. Dieciocho de Julio 2089 - Montevideo
(+598) 2410 5127 / 2409 5536 / 2409 5568 - libreria@libreriaamericalatina.com

Perú: Heraldos Negros • Jr. Centenario 170. Urb. Confraternidad - Barranco - Lima
(+51) (1) 440-0607 - distribuidora@sanseviero.pe

Paraguay: Tiempo de Historia • Rodó 120 c/Mcal. López - Asunción
(+595) 21 206 531 - info@tiempodehistoria.org

Brasil: Librería Española • R. Augusta, 1371 - Loja 09 - Consolação, São Paulo
(+55) 11 3288-6434 - www.libreriaespanola.com.br - libreriaespanola@gmail.com

Índice

a Anahí Luna

Agradecimientos

En primer lugar, debo agradecer a Diana Magaloni, la directora del Programa Art of the Ancient Americas del Los Angeles County Museum of Art (LACMA) y antigua directora del Museo Nacional de Antropología de México. Una parte de la investigación se realizó con apoyo de LACMA y de una beca de la Fundación Mellon que me permitió realizar una serie de viajes de investigación. A partir de mi trabajo sobre el arte y el ritual huichol elaboré una propuesta para exponer el arte prehispánico de Mesoamérica, Centroamérica y Colombia, donde desarrollé ideas que retomo en este libro.

Muchas de estas ideas surgieron cuando participé en el Grupo de Investigación Internacional *Antroplogía e Historia del Arte* organizado por Anne-Christine Taylor en el musée du quai Branly, sobre todo en el subproyecto *Las formas expresivas en México, Centroamérica y el Suroeste de Estados Unidos: dinámicas de creación y transmisión*, que fue apoyado por muchas instituciones, como el CNRS de Francia, el CONACYT de México y la Coordinación de Antropología del Instituto Nacional de Antropología e Historia (INAH), también de México. Agradezco a mis co-coordinadoras Olivia Kindl y Aline Hémond, a los demás colegas de entonces y, en especial, a Carlo Severi y Anne-Christine Taylor.

Algunas partes de este libro fueron presentadas en un seminario del Instituto de Investigaciones Estéticas de la Universidad Nacional Autónoma de México (UNAM) intitulado *El retorno de las cosas*. Agradezco los comentarios recibidos de parte de Isabel Martínez, Regina Lira, Federico Navarrete y Alejandro Fujigaki. A finales de 2018 presenté varios capítulos durante una estancia en Buenos Aires, organizada por Guillermo Wilde con el apoyo de la Embajada de Austria en Argentina. Esta experiencia fue muy estimulante y me impulsó a terminar el texto.

Mientras redactaba este libro comencé a trabajar en un proyecto de exposición, sobre la misma temática, pero incluyendo arte contemporáneo indígena, en colaboración con Natalia Gabayet, Anahí Luna, Arsistóteles Barcelos Neto, Alessandro Questa e Iván Pérez Téllez. En nuestras reuniones expuse partes de este libro y recibí comentarios importantes. Guillermo Wilde y Ulisses Ruiz leyeron el manuscrito y también me hicieron observaciones valiosas. Isabel Martínez me ayudó encontrar un buen título e Hilda Landrove me apoyó con detalles de la bibliografía. Aura González, Alonso Zamora y Nora Rodríguez Zariñán ayudaron con las imágenes.

Una parte del capítulo 1 la preparé originalmente para el Coloquio previo a la exposición *Híbridos. El cuerpo como imaginario* organizado conjuntamente por el Museo del Palacio de Bellas Artes y el Museo Nacional de Antropología de México. Agradezco a las curadoras Valentine Losseau y Tatyana Franck, así como a los directores de ambos museos, Miguel Fernández Félix y Antonio Saborit. Este trabajo lo presenté nuevamente en *La escuela del Juagar*, un evento artístico-académico organizado por Amanda Piña en el Campus de Arte de Singel Amberes y, por último, en un simposio organizado por Pedro Pitarch y Oscar Muñóz durante el congreso de la Latin American Studies Association en Barcelona 2018. Otro antecedente importante fue el número de Artes de México sobre Máscaras que coordinamos Alessandro Questa y yo (2018).

El capítulo 2 está basado en una presentación en un coloquio del Instituto de Investigaciones Históricas de la UNAM en homenaje a Michel Graulich, organizado por Élodie Dupey y Elena Mazzetto en noviembre de 2016. Tanto en el capítulo 2 como en el 3 continúo con una investigación que comencé ya hace varios años en el marco de la recuperación y edición de la obra del etnólogo alemán Konrad Theodor Preuss, que fue una entrada muy interesante para estudiar diversos temas de historia de la antropología. El capítulo 3 surgió a partir de un coloquio en el Museo Universitario de Arte Contemporáneo (MUAC) de la UNAM organizado por Linda Báez y el Proyecto *Bilderfahrzeuge* del Warburg Institute London en septiembre del 2017. En esa ocasión tuve la oportunidad de discutir largamente con el eminente historiador del arte y especialista en Warburg David Freedberg. Después, lo presenté nuevamente en un simposio del Congreso Internacional de Americanistas 2018 en Salamanca, organizado por Sanja Savkič y José Luis Pérez Flores y, finalmente, en Buenos Aires en una charla en el Instituto de Altos Estudios Sociales (IDAES) de Universidad Nacional de San Martín.

El capítulo 4 es una versión de un texto que preparé para el volumen *Culturas visuales indígenas y prácticas estéticas en las Américas desde la antigüedad hasta el presente*, coordinado por Sanja Savkič y Hannah Baader, que se publicará en 2019 la serie *Estudios Indiana* del Instituto Iberoamericano de Berlín.

El capítulo 5 es una versión ampliada de un texto publicado en el dossier titulado *Seres vivos y artefactos* de la Revista Antropología de la Universidad de Sao Paulo. Agradezco los comentarios recibidos por parte del editor de la revista, Pedro Cesarino, y de los editores del dossier, Renato Sztutman y Perig Pitrou. En Buenos Aires lo presenté en el Seminario de Arte Amerindio Prehispánico del Núcleo de Historia del Arte de la Universidad de Buenos Aires coordinado por María Alba Bovisio en noviembre de 2018.

El gusto por la etnografía comparada lo tengo de mis maestros Georg Grünberg, Christian Feest, Johanna Broda y Gordon Brotherston. Finalmente, debo mencionar un simposio que fue importante para mí, porque se discutió el enfoque americanista que inspira este libro. Lo organizamos el entrañable Dimitri Karadimas, recientemente fallecido, y yo para el Congreso Internacional de Americanistas de 2012 en Viena.

I. ¿Es posible una teoría antropológica *recursiva* del arte ritual?

1. Ser más que uno

¿Cómo se debe entender la presencia real de los seres y personajes representados en imágenes rituales? Algunas imágenes son sujetos con agencia y vida propias. Después de Belting (1994; 2006), Gell (1998; 2016) y Severi (2007; 2010; 2017), esta es una idea cada vez más aceptada, pero la cual también puede llevar a simplificaciones (Wolf 2016).

Belting (2006) parte de la observación que en Occidente hemos perdido la creencia en las "imágenes verdaderas". También constata que la práctica de una religión difícilmente es viable sin éstas. Las religiones monoteístas surgieron en una relación llena de conflictos con las imágenes, porque tienden a privilegiar a las escrituras, pero éstas jamás tienen la misma eficacia ritual que los íconos sagrados. Los conflictos entre iconoclastas e iconódulos en realidad no han podido ser resueltos. Por otra parte, cuando hablamos de ídolos y simples imágenes, la narrativa de una secularización progresiva desde el hombre primitivo y las civilizaciones antiguas hasta la actualidad se complica. Belting (2006: 21) señala que la "sociedad del espectáculo" de nuestra época actual es, de hecho, una época de oro de la adoración de imágenes. La "iconomanía" que prevalece se explica porque la mercancía del capitalismo moderno es un tipo de "fetiche" u objeto mágico, como han observado muchos teóricos críticos a partir de Karl Marx (Marx 1867; Taussig 1980).

Ahora bien, al argumento sobre la ambigüedad de la imagen en las religiones que presumen ser "de libro", habría que añadir que también en muchas de las sociedades que por falta de una mejor terminología son llamadas "politeístas" o, incluso, "paganas", la imagen tiene un estatus no menos problemático. Tal vez, lo único que sí es diferente es la manera en cómo se vive la ambigüedad relacional con la imagen y los seres presentificados por las imágenes.

En mi trabajo de campo entre los huicholes de Jalisco en México[1] encontré que, efectivamente, hay "imágenes verdaderas" que presentifican o *son* los dioses, es decir, no se trata de representaciones. Sin embargo, los mismos rituales también cuestionan el poder de estos seres y la verdad de las imágenes. Para entender la problemática de la imagen ritual entre los huicholes y formular una teoría antropológica del arte visual de este grupo, la clave es ampliar la propuesta de Gell (1998; 2016), explorar la ontología de las imágenes y, de cierta manera, emular la *Reverse Anthropology* de Wagner (1981) e invertir la relación entre lo que sería la imagen común de la vida cotidiana y la imagen milagrosa del ritual. Lo que entre los huicholes es "normal" es la imagen verdadera. Pero en el ritual se hace un gran esfuerzo para restarle poder. No se trata de establecer una dicotomía simple entre "ellos" y "nosotros". Cuestionar lo que sería lo "normal" para el naturalismo occidental abre posibilidades de entender aspectos que de otra manera serían imposibles de comprender. Por ejemplo, explicar la producción masiva de artesanías y obras de arte que hay entre los huicholes, cómo una cultura que literalmente teme a las imágenes produce tantas mercancías inspiradas en arte ritual, y que cuentan con esta extraña aura de falsa sacralidad que caracteriza los "fetiches" de la sociedad del espectáculo y del consumo.

La misma experiencia etnográfica me enseñó que una persona puede producir imágenes que corresponden a registros ontológicos muy diversos y, a veces, las diferencias entre una mercancía y un objeto ritual son mínimas. Entender esta pluralidad de tipos de imagen que existen en una sociedad se volvió un reto muy interesante. En los huicholes participamos en rituales donde se establecen negociaciones complejas con seres que pertenecen a ámbitos de la alteridad, y del resultado de estos arreglos depende "nuestra vida", *tatukari*, es decir, no solamente la vida de los individuos que practican estos rituales, sino hasta cierto punto también la de otros seres e, incluso, la del planeta. Para la etnografía, describir lo que ocurre en estas situaciones es un desafío. ¿Cómo podemos conceptualizarlo correctamente? ¿Cómo se experimenta el tránsito del mundo cotidiano al mundo de la alteridad? Los modelos que nos ofrecen los estudios de cosmologías

1 Para los detalles sobre mi trabajo de campo en Keuruwit+a, Mezquitic, Jalisco, remito a mi libro *Las fiestas de la Casa Grande* (Neurath 2002).

amerindias no resultaron adecuados. En la experiencia huichola, ambos mundos están siempre imbricados y no se distinguen nítidamente, pero la coexistencia de los mundos siempre es algo "delicado" o problemático. La vida se desarrolla en un plano ontológico lleno de rupturas. Al mismo tiempo, el estatus de los seres de la alteridad siempre es bastante incierto.

Se puede decir que, en el ritual huichol, lo único importante, normalmente, es participar. Cumpliendo con esto, cada quien saca sus conclusiones. Se puede creer o no creer en dioses e imágenes de culto. Es legítimo pensar que en realidad sean simplemente imágenes pero, a final de cuentas, no es un pensamiento que se sostenga fácilmente. A pesar de todo el escepticismo que los huicholes pueden tener, incluso a pesar de sus ganas de pensar que el poder ritual no sea real, siempre se impone una cierta convicción de que las imágenes rituales sí tengan vida y agentividad. Sin embargo, tomando ciertas precauciones, incluso se puede comerciar con objetos inspirados en imágenes rituales, aprovechando el deseo de un público grande por lo auténtico.

Es bastante difícil describir estas ambigüedades en una descripción etnográfica, pero me dí cuenta de que entender la "cosmovisión" era aprender a pensar paradojas. En los rituales, una cosa o una persona se multiplica y se transforma, participando en una realidad compleja que se compone de mundos ontológicamente diferenciados, *además* de que siempre existe la posibilidad de que los seres de la alteridad simplemente no existan. Las indeterminaciones del ritual, de la creencia y del "ser en los mundos" no pueden mantenerse separados. Y tenemos que acostumbrarnos a la idea de que hay seres que al mismo tiempo son y no son.

Con estas observaciones, entendimos, además, que en grupos como los huicholes hay una pluralidad relacional e, incluso, ontológica que se practica con bastante cotidianidad. Festejar rituales amerindios y vivir la modernidad combina bastante bien. Es muy importante corregir ciertas imágenes primitivistas, por ejemplo, entre los huicholes, el hecho de que en los centros ceremoniales huicholes existan imágenes rituales altamente poderosas no es un obstáculo para que participen activamente en el mundo contemporáneo. Al contrario, interactuar con los seres poderosos en el ritual ayuda a entender cómo tratar con los seres peligrosos de la vida real. Ritual y comercio son parte de un mismo "arte de vivir" en mundos radicalmente distintos.

Para ser consecuente con las implicaciones de esta observación, nos dimos cuenta de que se necesita una reflexión sobre la posibilidad de una pluralidad de regímenes del ser. Esto es un poco complicado, porque las humanidades, con su arraigo en la filosofía griega, carecen de modelos viables para plantear complejidades ontológicas de este tipo. Parménides nos inculcó esto en su poema didáctico: "el ser no es partible" (ver Sloterdijk 1999: 89). En la tradición occidental, la reflexión filosófica sobre el ser es la contemplación de lo uno, de la esfera. En este sentido, Peter Sloterdijk habla de la *Kugel-Ontologie*. Filosofía es "el amor de lo uno" (*Liebe des Einen*, Sloterdijk 1999: 70), lo que se celebra es lo continuo y lo homogéneo, la unidad y la completud (Sloterdijk 1999: 28-29). Hablar de "ontologías múltiples" es un oxímoron, en el mejor de los casos. Más bien, es una locura (Henare, Holbraad y Wastell 2007: 10).

Comencé a tratar estas problemáticas en mi estudio sobre el arte ritual y contemporáneo huichol,[2] pero ahora el objetivo es más amplio y, de cierta manera, más ambicioso. Nuevamente buscamos establecer discusiones con aquellas tendencias dentro de la antropología que se conocen como relacionales o posestructuralistas. Ahora bien, dentro del campo amplio conformado por estos enfoques vislumbramos dos tendencias divergentes. Por un lado están las propuestas de autores que pertenecen, básicamente, a los estudiosos del ritual, como Carlo Severi y Michael Housemann (1998); por el otro, los proponentes del "giro ontológico", como Eduardo Viveiros de Castro (1992; 1998; 2002; 2010a), Philippe Descola (1996; 2010; 2012), Martin Holbraad y Axel Morten Pederson (2017); y, en especial, los colegas que plantean el estudio de las "ontologías de las imágenes" (Taylor 2003; Taylor *et al.* 2006; Henare, Holbraad and Wastell (2007); Barcelos Neto 2008; Lagrou 2011; 2017).

¿Por qué es importante intentar una síntesis? ¿Acaso es posible esta síntesis? El problema con los estudiosos del ritual es que hablan normalmente de un nivel cotidiano y una realidad creada por la dinámica del ritual (Bloch 1986). Pensando entonces en qué podría aportar el "giro ontológico" al ritual, nos damos cuenta de que no se puede aceptar que una realidad, la cotidiana, sea la verdadera y, la otra, simplemente la ficticia. Los enfoques ontológicos tienen toda la razón cuando insisten que un ritual no simplemente se realiza en un mundo, sino que conecta, incluso inventa o produce, una multiplicidad de regímenes de realidad. Concretamente, a partir del trabajo de campo entre los huicholes, me di cuenta de que era importante conectar el tema de las experiencias rituales de realidades alternas, con el "saber vivir" en mundos ontológica, política y económicamente plurales. Solamente así se aprecia la importancia del ritual indígena como un entrenamiento para una práctica donde se busca poder sobrevivir, incluso vivir exitosamente, en sociedades diversas. Es en el ritual en donde mejor se ensaya la convivencia con seres raros y cosas extrañas de todo tipo. También se aprende defender el derecho a la diferencia.

Los objetos aparecen en los rituales cumpliendo con muchos papeles. A veces son protagonistas de los rituales, pero también son tecnología ritual, herramien-

---

2 Ver el libro *La vida de las imágenes* (Neurath 1913).

tas que otros protagonistas usan para relacionarse e interactuar con la alteridad. Ahora bien, los artefactos y otros actores rituales no simplemente tienen agentividad, sino condensan una multiplicidad de formas de simbolización, en un espectro que va de la representación a la presentificación. La gente no simplemente cree en una naturaleza humana de animales y montañas (de la Cadena 2010) o en el poder de artefactos rituales e imágenes (Gell 1998; 2016). Muchas veces tiene dudas al respecto. Incertidumbre ontológica es parte de los que se ha llamado "cosmopolítica" (Pitrou 2015: 101).

En relación con la imagen tal vez vale la pena regresar al *Sofista*, el diálogo de Platón donde encontramos una discusión bastante paradójica sobre la verdad de las imágenes. En algunos casos del arte ritual amerindio podemos encontrar imágenes que son "en realidad realmente irreales", al mismo tiempo que son "no realmente no-siendo, sino reales" (Plato 1892: 369; citado en Bredekamp 2010: 52). Theaeteto finalmente exclama: "¡En que extraña complicación de ser y no ser estamos involucrados!" (Plato 1892: 369).[3]

Aparentemente, Aby Warburg (2010) intuía esto cuando observaba y estudiaba los ritos indígenas del Suroeste de Estados Unidos. Retomando la pista que nos dejó este famoso científico de la cultura, nos damos cuenta de que tal vez lo más importante de lo que observamos en el ritual son los debates cosmopolíticos, en el sentido de Stengers (1996), Latour (2002; 2004) y Pitrou (2015), donde se cuestiona y discute el estatus ontológico de las personas, cosas e/o imágenes.

2. Todo arte ritual es moderno

En este libro alternamos estudios sobre relaciones rituales con discusiones que problematizan las formas de simbolización en las expresiones rituales y artísticas. La idea es formular un solo enfoque para el arte y el ritual. Para hablar de objetos e imágenes, cantos, *performance* y danzas, trajes y tocados, alimentos y bebidas rituales, retomamos la teoría del "acto icónico" de Bredekamp (2010), es decir, priorizamos los procesos, las relaciones y el uso de lo que se conoce normalmente como arte, sin importar el género, ni el registro sensual específico. Si discutimos, sobre todo, ejemplos del arte visual, no es porque creemos que sea el más importante, aunque sí hay un aspecto donde puede ser especialmente relevante: cuando se trata de fijar imágenes, convertir lo móvil en estático.

3 Se puede cuestionar la lectura de Bredekamp, ya que estas citas realmente no son parte de una discusión sobre la imagen: más bien se discuten problemas epistemológicos y el concepto de verdad. Pero estamos de acuerdo en que las formulaciones que usan los participantes en este diálogo platónico son una inspiración para discutir problemas de la imagen.

Pero esto no es todo. También nos interesa explorar el vínculo entre la complejidad relacional del ritual con la producción de diversidad. Exploramos cómo el gusto amerindio por la diferencia y el interés en la alteridad ontológica se vinculan con los procesos continuos de variación, transformación cultural y etnogénesis, que son muy características en la etnografía del continente americano y la hacen inagotable. Todo indica que el fenómeno de la diversidad de los mundos amerindios tiene que ver con la generación de pluralidad cultural. La diferencia es un valor positivo, tal como lo es la complejidad. El estudio de la morfología de las expresiones rituales facilita la comprensión de la proclividad amerindia hacia los procesos de transformación y diversificación. También nos permite apreciar que esta misma dinámica no produce únicamente una multitud de entidades equivalentes, sino mundos ontológicamente diferenciados.

Claude Lévi-Strauss fue un pionero al señalar lo que llamó la "apertura hacia el otro", así como el gusto por la diferencia que caracterizan a los pueblos indígenas americanos (Taylor 2004). La etnografía amerindia tiene algo de proteico. Eduardo Viveiros de Castro (2010) resalta este aspecto en su lectura de los cuatro tomos de *Mitológicas* y de los tres libros subsecuentes de Lévi-Strauss: *La vía de las máscaras, La alfarera celosa* y *La historia del lince*. Pero también es importante señalar que este gusto por las transformaciones tiene un contrapeso. Sí hay constricciones a los procesos de cambio, porque las diferencias no pueden ser excesivas. En sí, lo múltiple y lo complicado se aprecian y no se toman como problemas. Pero la diversidad y las diferencias nunca son tan grandes que no exista la posibilidad de un tipo de comunicación. Se valora la diversidad, pero no existen los mundos inconmensurables. Por ejemplo, en su estudio de la cestería tarahumara, Isabel Martínez explica que, estéticamente, lo que más se valora son las pequeñas diferencias, pero se aborrecen las innovaciones grandes (Martínez 2016).

Nuestro proyecto implica la búsqueda de un principio generador de diversidad. En el sentido de Goethe cuando criticó el sistema de Linneo, al observar que "aquí aprehendemos tan solo los productos, no el proceso de la vida" (Cassirer 2014: 244). Nos interesa explicar la dinámica que produce la transformación de las formas en el arte y en el ritual. Como decía Goethe en la *Metamorfosis de las plantas*, estudiar la forma implica estudiar sus transformaciones (Goethe 1999 [ca. 1806]: 45-55; ver Cassirer 1978 [1950]; 2014; Severi 1988; Neurath 2008c).

Nuevamente, el punto de partida será el arte ritual huichol, pero pronto pasaremos a otros grupos. Dando continuidad al proyecto iniciado con *Por los caminos del maíz* (Neurath ed. 2008), trato de explorar otras regiones, para desarrollar lo que se podría llamar una perspectiva americanista. Tengo que aclarar que no pretendemos mapear los mundos aborígenes en la tradición de Bastian, Ratzel y Frobenius (Santini 2018) o Kroeber (1931; 1939) y Kirchhoff (1943; 1954;

ver Jáuregui ed. 2008). Más bien, lo que queremos aportar es un enfoque para entender la extraña simultaneidad entre unidad y diversidad que caracteriza las sociedades y culturas amerindias, y que, para el ámbito de los mitos, fue tan bien comprendida por Claude Lévi-Strauss (1976 [1964]).

Para lograr los primeros pasos a lo que podría ser un día *Las Ritológicas*, retomaremos etnografías históricas sobre coras, hopis, zunis y pawnees, fuentes escritas del siglo XVI sobre los aztecas o mexicas y otras poblaciones del Centro de México. Se llenan los huecos que dejó Lévi-Strauss al no usar fuentes mesoamericanistas, mientras que, temáticamente, el proyecto se amplía para incluir al ritual y los actos icónicos. Estudiamos, entonces, algunos rituales de Mesoamérica, del Noroeste de México y de varias regiones de Norteamérica, así como una selección de objetos e imágenes del arte prehispánico o precolombino, concretamente, una serie de elementos iconográficos del llamado Complejo Ceremonial del Sureste, un famoso monolito azteca o mexica y una página de un códice proveniente de la región Puebla-Tlaxcala.

Cuando trabajamos culturas del pasado, son los conceptos y prácticas contemporáneas que nos dan la pauta. Veremos la importancia de plantear una revisión crítica de algunas de las ideas centrales de la vieja antropología. Aunque retomamos temas de la americanística tradicional, lo hacemos con la idea de renovar la disciplina. Reconocemos que hay un bagaje conceptual altamente problemático que debemos deconstruir si queremos descolonizar el pensamiento antropológico.

Para plantear comparaciones etnográficas es importante deshacerse de la perspectiva de una antropología omnisciente que busca ordenar y clasificar los fenómenos de la diversidad cultural a partir de criterios y esquemas, a final de cuentas, arbitrarios, provenientes de la cultura propia (Halbmayr 2017). Otro paso importante es criticar los esencialismos históricos. Lamentablemente, aún en la segunda década del siglo XXI la etnografía tiene la tendencia de reproducir una estructura colonialista del pensamiento ¡Superemos, finalmente, los discursos primitivistas que tanto daño han hecho a nuestra disciplina y, sobre todo, a nuestros interlocutores indígenas! No enfatizaremos, entonces, como se hace normalmente, la antigüedad o el arcaísmo de ciertas prácticas amerindias. Igualmente, cuando hablamos de fenómenos del pasado, no insistiremos en que "aún" subsisten en el presente. Las prácticas indígenas que estudiamos no son simplemente sobrevivencias anacrónicas (Sahlins 1999). Debido a su carácter complejo, lleno de paradojas y tensiones productivas, afirmamos que el arte ritual amerindio es moderno (Severi 2012). En lugar de deleitarnos por la autenticidad histórica de las fiestas y rituales que documentamos en la actualidad, las conceptualizamos como fenómenos relacionales y cosmopolíticos. Reconocemos sin tapujos que las tradiciones cambian y se desarrollan permanentemente, pero también es cierto que la dinámica de los ritos antiguos no puede ser *tan* distinta de la que se puede documentar en el presente. Por otra parte, no tengo problemas con afirmar que el Centro y el Sur México, Belize, Guatemala y partes de otros países Centroamericanos, es decir el área que se conoce como Mesoamérica (Kirchhoff 1943; Covarrubias 1954), sean un centro desde donde irradiaron influencias, pero las culturas amerindias del resto del continente norteamericano o del Norte de Sudamérica no deben pensarse como meras periferias.

No hubiera podido formular mis ideas si no hubiera tenido la experiencia de participar en las comunidades de práctica de unos interlocutores maravillosos, los wixaritari de Keuruwit+a. Tanto en el trabajo cotidiano de la milpa, como en la fiesta, nos quedó claro que la costumbre huichol (*yeiyari*) es perfectamente adecuada para el mundo contemporáneo y, por ende, debe entenderse una manera idónea, realista y pragmática, de convivir con ancestros, animales, poblaciones no-indígenas y toda clase de seres pertenecientes a ámbitos de la alteridad que normalmente se llaman dioses.

Los huicholes no tienen ilusiones sobre los seres de la alteridad; saben que son seres caprichosos y que relacionarse con ellos implica un cierto riesgo. Pero los especialistas rituales, los artistas y chamanes, son expertos en tratar con seres poderosos y sus prácticas son un campo de experimentación para generar un conocimiento que se aplica cada vez que aparecen nuevos seres de la alteridad. Los problemas ambientales, jurídicos y de seguridad que se viven en la actualidad pueden interpretarse a partir de prácticas rituales ancestrales, porque los ancestros se identifican con poderes oscuros de la actualidad, incluso con mineros y narcos. En este punto estamos muy cercanos a la posición de Alessandro Questa (2016; 2017).

El ritual indígena no se entiende si no se le considera un fenómeno de la actualidad. Y si en el presente no le falta nada al ritualismo indígena, tampoco vamos a entender las costumbres del pasado a partir de ideas primitivistas. La ambivalencia cosmopolítica en la relación con el poder de la alteridad es, probablemente, lo que tienen en común los ritos de los antiguos mayas con las prácticas actuales, por ejemplo, del *performance* tachado como neo-indigenista, que recientemente se celebró en el Zócalo de la Ciudad de México, en ocasión de la toma de protesta de Andrés Manuel López Obrador. Esto ha sido observado por Iván Pérez Téllez en un comentario publicado en el periódico *Sin embargo* (2018).

3. Tecnología y antropología amerindias

En el sentido de una antropología recursiva (Viveiros de Castro 2010a; 2010b; Holbraad y Pederson 2017) o *Reverse Anthroplogy* (Wagner 1981), comparamos las teorías de la persona, de la humanidad, de la vida, de los mundos y de la alteridad, tal como las plantea la gente que estudiamos. El pensamiento relacional practicado por nuestros interlocutores nos sirve para superar los límites de los marcos conceptuales convencionales que nos ofrecen las ciencias sociales y humanidades. Propuestas como la "persona fractal" (Wagner 1991), la "dividualidad" (Strathern 1988; Viveiros de Castro 2008; Mosko 2010), la "persona distribuida" (Gell 1998; 2016), el "cogito canibal" (Viveiros de Castro 1992) y la "alteridad constitutiva" (Erikson 1986; Galinier 2004) han surgido de diálogos teóricos entre antropólogos y sus informantes y son lo que vuelve interesante a la antropología. Uno puede ser más que uno, como lo demuestra, por ejemplo, el fenómeno del nahualismo (Lupo 1999; Chamoux 2011; Martínez 2011), donde una persona humana cuenta con varios dobles o alter egos animales.[4]

Tomando en cuenta críticas que se han formulado a la antropología colonialista, el denominado "material etnográfico" se trata aquí con una actitud diferente, partiendo de una metodología dialogal, donde las teorías indígenas valen lo mismo que las filosofías occidentales. En lugar de exotizar, nos comprometemos con el esfuerzo de crear un discurso más adecuado sobre los pueblos con quienes colaboramos y que son nuestros interlocutores. Al mismo tiempo, queremos mantener el proyecto de una etnografía histórica comparada, así que no simplemente abandonamos las líneas de investigación de la etnografía tradicional, como ha pasado en los Estados Unidos, donde ya no se practica este tipo de antropología y toda la disciplina se condena por practicar el *othering*, es decir, exotizar poblaciones minorizadas y cosificar la alteridad (López Caballero *et al.* 2018). Pensamos que debería ser al revés: estudios etnográficos bien planteados enriquecen a los poscoloniales, porque les dan contenidos concretos donde se escuchen las voces de los pueblos que luchan por su autonomía.

Al igual que en el libro de Holbraad y Pederson (2017), aquí se busca establecer bases comunes, argumentando que el decolonialismo y las corrientes "ontologístas" deberían llevarse mejor. Holbraad y Pedersen se declaran "mindful of and respectful towards postcolonial theory and the postmodern collaps of grand narratives", explican que la antropología de ontologías es una práctica decolonializante, que apoya la autedeterminación ontológica de los pueblos, e igual

---

4 Ver también Dakin (2004) sobre las palabras yuto-nahuas emparantados con el término náhuatl *xolotl*, que significan "monstruo" y/o "gemelo" y se realcionan con una antigua "metáfora mesoamericana para transformación".

que Chakrabartry (2000) y otros autores que vienen de los Estudios Culturales, buscan provincializar a Occidente, tomando en serio todo los que *people in the fields* dicen, hacen o usan.

A partir de una antropología dialógica en el nivel teórico podemos formular lo que será una de nuestras preguntas iniciales: ¿es posible entender el arte amerindio en el contexto de una tecnología amerindia, desarrollada para relacionarse con seres diversos y ambiguos de la alteridad, y de una antropología amerindia que reflexiona sobre la complejidad de estas relaciones?

Tanto en el presente como en el pasado lo que estudiamos son procesos que –eventualmente– podemos llamar chamánicos, pero más bien se trata de rituales de transformación animista (Viveiros de Castro 1992, Descola 2012) y multiplicación de la persona (Severi 1996; 2001; 2002; 2010; 2017), donde se practican simultáneamente toda una serie de transformaciones parciales.

Nos podemos inspirar en Gell (1998; 2016) y Severi (2017), quienes analizan los *nkisi* o "fetiches de clavo" congoleses, piezas que, por su estética violenta u ominosa, son famosas entre los amantes del arte africano. Gell (1998; 2016) señala que "una persona instruida, cuando se acerca así al fetiche, no verá en él simplemente un objeto o una forma que puede apreciar desde el punto de vista estético. Lo que verá es más bien la huella visible de una red invisible de relaciones, que se despliegan en el espacio y en el tiempo de una sociedad". Severi (2017) retoma este planteo y lo elabora, hasta llegar a la conclusión de que el fetiche posee "una identidad compleja, totalmente distinta de la atribución cotidiana de la identidad".

Ahora bien, la complejidad relacional del ritual, leída con la guía de Bateson (1958), Houseman y Severi (1998), se complica aún más, ya que converge con la ambigüedad en la interacción con seres de la alteridad, que se observa en muchas regiones indígenas, y que puede denominarse identificación antagonista (Taylor 2003).

Finalmente, el estudio del ritual se vincula con una reflexión sobre los problemas con la imagen en las sociedades indígenas (Neurath 2013). La imagen nunca es un mero accesorio, no es epifenómeno ni una ilustración, sino el foco donde se expresa la necesidad de fijar procesos de transformación y de crear síntesis finalmente imposibles entre las fuerzas antagónicas.

El esfuerzo continuo de capturar seres elusivos y multifacéticos estimula la creación de un repertorio casi infinito de formas. El arte amerindio es el paraíso de los morfólogos. Estudiamos, entonces, lo que en inglés se llama *imagery*, un conjunto de creaciones fantásticas y expresivas que desafía los análisis a partir de enfoques reduccionistas. Pero el proceso de su producción es lo que mejor nos explica la dinámica cultural amerindia, que aprecia las diferencias y explora la diversidad.

Tanto la acción, como las relaciones y las formas expresivas del ritual solamente se entienden cuando se analizan en su dimensión cosmopolítica, donde hay un debate sobre estatus ontológicos de personas, animales y objetos, y donde el ritual no simplemente afirma creencias o ideologías, sino que crea incertidumbre. ¡Fíjense bien, colegas arqueólogos, que crecieron con las ideologías de la ecología cultural neo-evolucionista! El ritual no necesariamente legitima el poder, o por lo menos no siempre produce o reproduce una ideología del poder. Hay escenas donde se lo cuestiona y se libra una lucha ritual contra la acumulación y reproducción de privilegios sociales (Neurath 2011).

Para avanzar con este proyecto, que implica una crítica de la ideología colonialista inherente al concepto de ideología usado por los arqueólogos, recapitulamos la discusión sobre los tipos de simbolización que predominan en el ritual. El debate comienza con una revisión de lo que fue la escuela de la *Naturmythologie* (mitología natural), donde el ritual escenifica mitos que, por su parte, reflejan los ciclos de la naturaleza. Pasamos a la escuela Usener (1904a) que plantea el *drómenon*, la presentificación en el ritual y en arte ritual, pero es la propuesta warburgiana de "forma intermedia" (Michaud 1999; 2004) la que nos parece adecuada. Lo que hay son, entonces, presentificaciones ambiguas.

Los seres quiméricos que abundan en muchas tradiciones del arte amerindio se producen a partir de series simultáneas de transformación parcial. El material es abundante y es difícil decidirse cuando se debe elegir estudiar tan solo unos cuantos ejemplos. Concretamente, en este libro nos enfocaremos en la iconografía del Complejo Ceremonial del Sureste, pero también analizaremos imágenes y objetos del arte prehispánico del Centro de México.

La discusión de la complejidad de la simbolización se vincula con el análisis de las relaciones rituales. Lo que se añade, además, es una reflexión sobre la necesidad de control de los procesos rituales, para no llevar las transformaciones demasiado lejos. Este es el punto donde es realmente importante tomar en cuenta la producción de imágenes y objetos rituales. El arte expresa y produce síntesis, los momentos efímeros de culminación, pero muchas veces se prefieren figuraciones ambiguas. Las imágenes rituales son poderosos, así que incluso el arte efímero es demasiado peligroso. En otros casos se prohíbe o se imposibilita la visibilidad de ciertos objetos. El arte da una cierta duración a las experiencias, pero también ayuda someter a los seres de la alteridad con quienes se ha establecido relaciones durante el ritual. Sea como sea, siempre se vive una tensión entre mostrar y ocultar. Las obras de arte son portales que permiten la comunicación con la alteridad, al mismo tiempo que congelan estas relaciones, para hacerlas menos peligrosas.

Ponemos un matiz importante en la necesidad del control en el ritual. Nos interesan procesos de transformación y multiplicación de la persona, tanto en el arte como en el ritual, pero también nos enfocamos en un aspecto hasta ahora poco analizado: la importancia de mantener el control sobre estos procesos y de evitar transformaciones completas. En este sentido, la imagen ritual es una presentificación, pero se trata de convertirla en algo menos poderoso. La imagen representativa es más bien una imagen con agentividad anulada, o por lo menos domesticada.

Este nuevo enfoque en el estudio del arte plástico ritual nos permite valorar cual es la necesidad de producir los objetos que ahora llamamos "obras de arte ritual". Proponemos que éstos se elaboran porque expresan la complejidad, al mismo tiempo que permiten fijar ciertos momentos de los rituales, por ejemplo, presentificar a las visiones, los dobles o *alter egos* que se han obtenido en el contacto con la alteridad. Pero el arte amerindio no tiene el problema del arte occidental, que es lograr lo físicamente imposible, que las imágenes tengan algún tipo de *Nachleben*, pervivencia o "vida póstuma" (Warburg 2010). Esto es lo fácil; más bien aquí se trata de quitarle vida a algo que es demasiado agentivo. Las imágenes que presentifican seres de la alteridad también expresan duda sobre su existencia o poder. Esto veremos en el último capítulo que trata, entre otras, cosas del monolito mexica conocido como La Coatlicue.

4. La transformación y su control en Mesoamérica

Por lo pronto nos mantenemos en el campo conocido, que es el estudio del ritual y del arte huichol o *wixaritari*. En especial, nos enfocaremos en la peregrinación a Wirikuta, las fiestas del peyote, Hikuri Neixa, y Namawita Neixa, tal como las observé en numerosas ocasiones entre 1993 y 2008 en el centro ceremonial Keuruwit+a, y en ciertos objetos rituales y obras de arte contemporáneo.

Los huicholes son un conjunto de comunidades indígenas de la Sierra Madre que se ubican en la zona limítrofe de los estados mexicanos de Jalisco, Nayarit, Zacatecas y Durango. Los más de 50.000 huicholes hablan una lengua yuto-nahua y son famosos tanto por sus ritos de peyote, como por su arte multicolor de estambre y chaquira inspirado en experiencias visionarias (Neurath 2002; 2013). El Sur de la Sierra Madre Occidental, también conocida como el Gran Nayar, es una zona de transición entre Mesoamérica, la zona chichimeca de los semidesiertos del Altiplano que se extiende por todo el Norte de México y el área cultural que se conoce como Oasisamérica, el Suroeste de Estados Unidos o la región de los Indios Pueblo y se prolonga hacia parte del Noroeste de México (Kirchhoff 1954).

Los huicholes son exitosos. En trabajos previos he argumentado que se trata de un grupo que puede caracterizarse como auténticos *global players*. También he insistido que es inadecuado hablar del arte huichol, en cualquiera de sus vertientes, en términos de una inmutable tradición milenaria. Al contrario, he buscado comprenderlo como expresión de la contemporaneidad de los huicholes. Sobre todo, quise demostrar que el estudio del ritual aporta elementos para revalorar la compatibilidad entre la tradición y la modernidad indígenas.

Considerando las intenciones americanistas de la presente obra, vale la pena exponer un resumen de mi análisis del arte huichol, que desarrollé en diálogo con conceptos desarrollados por etnógrafos de las Tierras Bajas sudamericanas. Confrontando las ideas de los amazonistas y de los mesoamericanistas de las últimas décadas, podemos vislumbrar que existe ya algo como un *corpus* etnográfico que permite proponer una nueva síntesis acerca de las características compartidas del arte ritual entre diferentes pueblos amerindios.

Una constante de los estudios etnográficos recientes es que en las sociedades amerindias viven en mundos que se pueden describir como "multinaturalistas". En estos mundos la transformación es relativamente fácil (Viveiros de Castro 1998). Lo que para "nosotros" resulta imposible (por razones de índole racional, por ejemplo, porque viola las leyes de la física), entre muchos pueblos amerindios no solamente es factible, sino casi cotidiano y se practica con regularidad en los rituales. Esta facilidad de convertirse en "otro" se explica por lo que se ha definido como la "humanidad compartida" (ver Bonfiglioli, Martínez y Fujigaki, 2020). La diversidad se da y se presenta en la exterioridad, la piel y la ropa: hay etnias, especies y categorías de seres muy diversas, que invariablemente se definen por su forma de vestir o peinar, por las manchas características de su pelaje, etcétera. Pero, al interior de cada uno de estos seres se encuentra lo que podemos llamar un "alma" humana. Aunque hay muchas naturalezas, todas las especies y las etnias comparten una cultura humana.

No descartaría que en ocasiones ha habido una tendencia a generalizar demasiado (Gose 2018), pero la razón que estas ontologías fueran descubiertas es la cotidianidad de la transformación que se observa en estas sociedades. Especialistas rituales se ponen un tocado especial, con plumas o cuernos, e inmediatamente *son* estos animales o aves. No simplemente actúan o pretenden ser un animal, efectivamente se transforman. Viveiros de Castro (1998) y Fausto (2007) sistematizaron la información etnográfica disponible para las Tierras Bajas sudamericanas y algunas regiones de Norteamérica. Para Mesoamérica aún no existe un trabajo de estas características, pero los principios ontológicos del multinaturalismo aparecen, por lo menos, en etnografías sobre nahuas de diferentes regiones (Lorente 2011; Romero 2011; Questa 2010; 2013; 2016; 2017; Pérez Téllez 2014; 2015), en la Huasteca Meridional (Trejo *et al.*, 2015), entre los mayas de Chiapas y Guatemala (Pitarch 2010; 2013; Zamora 2018), y en los estudios sobre los huicholes (Neurath 2013; 2015; Pacheco 2010; Lira 2014; Rodríguez Zariñán 2018). De la Cadena (2010) aplica el planteamiento para los Andes, aunque se han formulado dudas al respecto (Gose 2018).

El mutlinaturalismo se conoce a partir de prácticas indígenas contemporáneas, pero algunas piezas del arte precolombino también dan cuenta de esta manera de comprender el mundo y el hombre. En la plástica mesoamericana abundan ejemplos de jaguares, águilas, serpientes y otros animales con fauces abiertas, desde las cuales se asoma una cara o una cabeza humana. Desde la perspectiva que nos ocupa, estas últimas pueden ser miradas como las interioridades humanas que se revelan en situaciones extraordinarias, durante sueños, visiones y rituales (ver Descola 2012: 208).

La transformación se entiende, entonces, más que nada como un cambio de ropa o cambio de piel, y esto explica que, en el multinaturalismo, el ritual de transformación no plantea una dificultad mayor. Más bien, el problema suele ser el exceso de "transformatividad", y lo importante es aprender controlar estos procesos.

En el animismo multinaturalista de los wixaritari, la humanidad compartida fue observada ya por el pionero de la etnografía de la región, Carl S. Lumholtz (1900; 1902). Muchos animales, algunas plantas e importantes elementos de la naturaleza son tratados como familiares y se usan términos de parentesco: Tatewarí, "Nuestro Abuelo", es el fuego, Tayau, "Nuestro Padre", es el Sol, Tatei, "Nuestra Madre", es la lluvia, el maíz, el mar o el cielo, Tamatsi, "Nuestro Hermano Mayor" es *maxa*, el venado de cola blanca (*Odocoileus virginianus*) o *hikuri* (peyote, el cactus psicotrópico *Lophophora williamsii*), Tamuta, "Nuestro Hermano Menor" es el conejo, etc…

En los sueños, incluso los no-iniciados pueden comunicarse con ellos como humanos, pero los más expertos en percibir la humanidad de todos estos seres son los chamanes. Pero el mismo grupo de ancestros también tiene otras formas: algunos son montañas, otros son rocas, lagos u ojos de agua (Neurath 2002). Siguiendo a Regina Lira los podemos llamar "ancestros-topónimos" (Lira 2014: 179), seres localizados en el paisaje, en el sistema de parentesco y en la jerarquía social.

Ahora bien, la relación entre los humanos comunes y corrientes y los "metahumanos" (o humanos de otras naturalezas) nunca es armónica. Claro, entre los huicholes el uso de términos de parentesco para referirse a los dioses puede implicar cercanía, incluso intimidad, pero los mismos seres habitan en lugares lejanos, en el bosque, en los desiertos y en los cuerpos de agua. Hay una distancia, al mismo tiempo que hay una cercanía, como hay cooperación y antagonismo. Acercarse a los lugares sagrados del paisaje, a los sitios donde habitan estos seres, es "delicado". Al saber esto entendí porque no es fácil lograr que, en el trabajo de campo, nos inviten a participar en las visitas a estos lugares.

De manera similar que en muchas partes de las Tierras Bajas Sudamericanas, hay animales que cazan a los humanos. Muchas veces, estos animales provocan heridas con sus proyectiles. Por eso la gente se enferma. En la curación se extraen estas flechas con puntas que son agentes patógenos. Muchas veces, la ofrenda es para negociar una tregua en el conflicto entre los humanos y los animales-cazadores de hombres. Pero cuando los compromisos rituales no se cumplen, los dioses-cazadores, que son animales, atacan de nuevo y toman a una persona como rehén. Incluso convierten a este humano en un miembro de su especie, contra su voluntad. Los síntomas de la enfermedad indican en qué animal se está transformando el paciente. Por ejemplo, los que adelgazan mucho tienen la "enfermedad del venado" y, por tanto, se están convirtiendo en venados.

A veces la gente, sinceramente, prefiere no saber de estas cosas, pero hasta cierto punto, es inevitable tener algún tipo de contacto con estos mundos. Por esto existen los especialistas rituales, a quienes se deja la tarea de fungir como intermediarios y negociadores de estas relaciones. La posición de los chamanes es tan ambigua como la de los dioses. Los iniciantes huicholes devienen deidades, creando la luz del día, el conocimiento, la lluvia y muchas otras cosas, pero no dejan de inspirar miedo entre los no-iniciados. Hemos visto como hombres que se transforman en dioses, involuntariamente se convierten en agentes patógenos. Al tener contacto con personas iniciadas, uno se puede enfermar.

Esta observación no es un hecho aislado. También entre los mixtecos estudiados por Monaghan (1995: 103), los dioses son enfermedades. En el caso de los tzeltales estudiados por Pitarch (2010; 2012; 2013), los espíritus no provocan las enfermedades intencionalmente, pero su simple presencia es peligrosa para los humanos, sobre todo debido al ruido que hacen.

Desde mi entendimiento, esta ambigüedad de la naturaleza de los dioses, seres a la vez humanos, a la vez salvajes, parientes y enemigos, generosos y depredadores o agentes patógenos, no se puede resolver como lo hace Gose (2018) para el caso de los Andes. Los dioses huicholes no son "semi-humanos", sino humanos y no-humanos al mismo tiempo. Su constitución ontológica es más compleja de lo que normalmente se maneja en los estudios sobre ontologías amerindias, así que no nos sirve plantear un término medio. Veremos que todo esto se entiende mejor cuando se piensa a partir de los enfoques de la complejidad ritual. Lo que está claro es que hay una relación ambigua entre atracción y rechazo con este mundo de los "otros". Como dice Anne-Christine Taylor, se trata de una simultaneidad de relaciones de identificación y antagonismo con el otro (Taylor 2003).

Lo que también podemos afirmar, sin caer en generalizaciones excesivas, es que los mundos de los humanos y de los dioses o espíritus siempre están imbricados, pero la relación raras veces es simétrica. Así que uno pude cumplir o incumplir compromisos rituales, pero al final los seres del otro mundo terminarán por imponerse. El chamán puede negociar una prolongación del *statu quo*, aunque lo más que puede lograr es aplazar la muerte. Los chamanes suelen estar ya parcialmente en el mundo de los muertos, por eso pueden ayudar a vivir aún un poco más.

En el caso de los huicholes, es en el estado onírico cuando pueden suceder transformaciones involuntarias, sobre todo cuando uno come la comida ofrecida por los espíritus, tiene relaciones sexuales o, simplemente, cuando uno se deja involucrar en una conversación con ellos. Por eso, durante los sueños es muy importante aprender a no contestar a las preguntas de nadie. Hay que tomar estas precauciones con seriedad, porque los seres de la alteridad quieren capturar humanos, provocar una transformación permanente que equivale a la muerte en el mundo humano.

Las enfermedades son, entonces, una transformación no controlada. Tal vez la primera en analizarlo fue Laura Romero (2011). Desde entonces, en diferentes regiones indígenas de México se ha documentado que un enfermo es alguien que, a diferencia de un chamán o curandero, sufre una transformación involuntaria.

En otras sociedades indígenas de Mesoamérica y del Norte de México las almas pueden perderse. Entre los tarahumaras, almas y cuerpos tienden a la dispersión, y se requiere de una labor ritual constante para mantenerlos unidos (Fujigaki 2014). Entre los nahuas de Texcoco (Lorente 2011) y entre los mayas de los Altos de Chiapas (Pitarch 2003; 2010; 2012), las almas son vagabundas. Se quieren ir, porque la vida en los "mundos de los espíritus" es atractiva. Por eso, en las curaciones chamánicas practicadas en estas regiones, las almas de los pacientes se niegan a regresar a casa, porque la vida en el pueblo de los espíritus les gusta más. Para las almas, la enfermedad no tiene nada de malo. El problema es que los cuerpos sí se mueren (Lorente 2011).

Así como no queremos caer en una idealización de un mundo donde se vive la humanidad compartida, es importante tampoco enfocarse únicamente en los aspectos negativos de los seres de la alteridad. La relación es necesaria. En Mesoamérica, lo mismo que en otras regiones de la América indígena, la vida y el poder se consiguen relacionándose con seres del mundo de los "otros", que pueden ser enemigos de guerra, animales o espíritus. El mundo de los otros es fuente de la fuerza vital, pero también es donde se originan desgracias como las enfermedades. Cualquier contacto con seres de otros mundos es peligroso, pero también es atractivo o, por lo menos, interesante.

Lo que queremos señalar es que esta ambigüedad en la relación con la alteridad no es un fenómeno aislado de los huicholes. En muchas sociedades amerindias se han documentado situaciones similares, sobre todo en la Amazonia (Fausto 2000, 2007; Barcelos Neto 2008; Déléage 2009a; Kopenawa y Albert 2010);

pero también en comunidades mesoamericanas y del Norte de México, como entre los tarahumaras (Martínez 2010); entre los nahuas de la Sierra Negra y de la Sierra Norte de Puebla (Romero 2011; Pérez Téllez 2014; Questa 2013; 2016; 2017: 50); entre los mazatecos de Oaxaca (Rodríguez Venegas 2014); entre otomíes, tepehuas, totonacos y nahuas del Sur de la Huasteca (Trejo *et al.*, 2015); en Momostenango, Guatemala (Zamora 2018); y entre los tepehuanos del Sur de Durango (Reyes 2015). Posiblemente hay aún más etnografías que hablan de esto. En todos estos casos, la alteridad es una categoría que abarca ancestros y seres que son más bien enemigos, sin que se pueda distinguir claramente entre aspectos positivos y negativos.

En este sentido, en nuestra búsqueda de una perspectiva comparativa americanista, se vislumbra que una clave importante para entender las religiones, los rituales y el arte ritual indígena es, precisamente, la ambigüedad en la relación entre los humanos y los entes del ámbito de alteridad. Es necesario establecer relaciones con animales del monte, espíritus y "dueños", seres del inframundo, duendes y gigantes, aunque siempre implica un cierto riesgo. En las culturas específicas existe, desde luego, una gama amplia de posibilidades acerca de cómo se vive y cómo se manejan estas relaciones.

En estas relaciones ambiguas, muchas veces los peligros comienzan cuando los espíritus se manifiestan como sirenas y muchachas bonitas y seducen a los cazadores o a las personas perdidas en el monte (Méndez y Romero 2015). Sin embargo, los chamanes de la Sierra Norte de Puebla buscan relacionarse de manera controlada con los espíritus y contraen matrimonio con una deidad (Questa 2017: 242).

El *statu quo* de la existencia "entre mundos" implica que en los mundos amerindios la "hibridación" sea algo normal. No funciona el binomio hibridación-globalización, porque la primera es mucho más antigua que la segunda. Ahora bien, es importante tomar en cuenta que, en las cosmologías amerindias, aquel ámbito que llamamos "la modernidad" suele ser un aspecto importante del mundo de los "otros". La atracción que ejerce el mundo de la alteridad es, muchas veces, la misma que se experimenta en relación con las ciudades modernas. Es más, en algunos pueblos indígenas, las grandes urbes son parte del mundo de los ancestros y de los muertos. Por ejemplo, dentro de la montaña sagrada nahua o maya no solamente se ubica un paraíso agrícola, como se ha descrito muchas veces en las etnografías, sino que también está el mundo brillante de la tecnología, donde los espíritus manejan coches último modelo, constantemente van a gasolineras, a cantinas y a restaurantes donde escuchan la música escandalosa y popular ente los ladinos: canciones rancheras y música norteña (Pitarch 2010; 2012; 2013: 132). En otros casos, se sabe que las viviendas de los espíritus se parecen a los *sets* de las novelas de *Televisa* (Questa, comunicación personal). Los Señores de la Montaña ocupan oficinas muy modernas con enormes pantallas planas que usan para observar a los humanos (Romero 2011).

Los dioses propios no son tan interesantes, ni tan poderosos que los dioses de los "otros". Entre los otomíes del Sur de la Huasteca (zona limítrofe entre Veracruz e Hidalgo) el cosmos se divide en mitades para nada complementarias. El mundo solar de arriba es cristiano e interesa poco. Abajo, en el "gran costal del diablo", las reglas son totalmente distintas, ya que ahí la vida se produce a través de ritos sacrificiales paradójicos y relaciones sexuales incestuosas. Durante fiestas como las de Todos Santos o Carnaval, el diablo abre su costal y los ominosos seres del inframundo se escapan. Notablemente, estos seres ancestrales tienden a ser no-indígenas, mestizos o extranjeros: doctores, ingenieros, damas seductoras y figuras de películas de Hollywood (Galinier 2004).

Como vimos, durante los rituales chamánicos, el especialista deviene otro, identificándose con los dioses de los otros y convirtiéndose en ellos. Hoy en día, esto puede significar que el chamán que viaja a estos ámbitos peligrosos realiza trámites y acude a juzgados (Pitarch 2012; 2013). Los dioses ya no son enemigos de guerra sino "licenciados" mañosos y corruptos. Es decir, cambian los detalles de las prácticas religiosas, pero se conserva la capacidad chamánica de moverse hábilmente en los terrenos del *otro*.

Esta ambigüedad y complejidad en la relación con la alteridad tiene importantes implicaciones políticas. El antropólogo francés Pierre Clastres (1987) planteó que las sociedades de los pueblos amerindios son "sociedades contra el Estado": no toleran acumulación del poder de parte de un individuo, así que la autoridad de los gobernantes y de los especialistas rituales siempre debe ser acotada (ver Viveiros de Castro 2010c). Esto no significa que a la gente no le interese el poder. Como ilustra Philippe Descola en su estudio sobre los achuar (1996), muchas sociedades amerindias, incluso grupos pequeños e igualitarios, están obsesionadas con el poder, el prestigio y la fama. Pero no solamente se esfuerzan en obtenerlo, sino también buscan controlarlo. El ritual no es simplemente un mecanismo para legitimar el poder o para reproducir un sistema de autoridad tradicional. Muchas veces, más bien, en un ritual los seres poderosos son deslegitimados.

Alejandro Fujigaki (2015) desarrolló una hipótesis muy importante sobre los procesos de anulación y destrucción de poder ritual en sociedades amerindias de muy diferente índole, tanto del Norte como del Centro de México. Por otra parte, sabemos de la arqueología que las culturas de ciertas regiones entraron en lo que, en la jerga del evolucionismo, se conoce como la fase del Formativo. Es decir, eventualmente las sociedades ya no lograron frenar la acumulación de poder y surgieron sociedades estratificadas, jefaturas, cacicazgos, Estados o, incluso, imperios. Pero aun en estas sociedades, el poder se obtenía relacionándose con los ámbitos de la alteridad, así que la autoridad del gobernante se basaba en su capacidad de negociación con seres difíciles de someter o controlar. Igual que un chamán actual, el rey maya o mexica era un diplomático cósmico (Olivier 2015; Zamora 2015; 2016; Fujigaki 2015; Landrove 2016; Declercq 2018).

5. Los peyoteros huicholes

En el chamanismo amerindio se trata de evitar la muerte por transformación, pero se buscan activamente las transformaciones parciales. El estudio de Rane Willerslev (2007) sobre los yukaghirs de Siberia Nororiental es particularmente relevante para entender la importancia de no llevar las transformaciones animistas demasiado lejos. Por otra parte, en las tradiciones chamánicas amerindias, se han documentado muchos casos donde los protagonistas experimentan varias transformaciones al mismo tiempo. Estos procesos son necesariamente parciales: los chamanes-cantadores u otros especialistas que dirigen ceremonias se multiplican y se transforman simultáneamente en varios de sus antagonistas e interlocutores. A veces estos chamanes dialogan consigo mismos, con otros aspectos de su persona. Incluso se identifican con los enemigos que combaten. También se identifican con objetos que usan, como las varas con plumas de los chamanes huicholes. Como explica Severi (1996; 2001; 2002; 2010; 2017), en el chamanismo se acumulan identidades y emergen enunciadores complejos.

Estos procesos pueden entenderse mejor si se toma en cuenta que los conceptos amerindios de la persona pueden ser complejos y, desde luego, muy diferentes a los de la tradición occidental. Veremos ahora con más detalle cómo se viven las complejidades del concepto de la persona entre los huicholes. En el canto ritual documentado, traducido y analizado por Regina Lira (2014), el chamán huichol (*mara'akame*) se encuentra simultáneamente en diferentes lugares, lo que implica también que se encuentra en diferentes temporalidades (está "aquí" en el patio y al mismo tiempo "allá" en el desierto). De repente toma distancia y se hace preguntas sobre lo que sucede. A veces narra en tercera persona, a veces en primera. Los cambios de perspectiva son constantes. Al mismo tiempo, el cantador se transforma. Lira describe, por ejemplo, cómo los dioses antagónicos Kauyumari e Irumari –uno diurno y el otro nocturno–se unen en la persona del cantador. Éste, de repente, deja de interactuar o conversar con Kauyumari, y se refiere a sí mismo como "Kau*ne*mari", Kau-*yo*-mari", pues *ne* es el marcador de la primera persona singular (Lira 2014).

Margarita Valdovinos (2008a) describe procesos similares para el caso de los cantos de las ceremonias *mitote* de los coras. Sin embargo, entre los huicholes y los coras, como en otros grupos amerindios, el verdadero arte chamánico no es caer en trance y viajar, sino poder "quedarse aquí", a pesar de los viajes y transformaciones que se experimentan. Los chistes triviales que los chamanes huicholes hacen mientras se encuentran "empeyotados", supuestamente en un trance muy profundo, comprueban que se mantienen presentes en el patio ritual, con sus familiares y amigos. A diferencia de lo que se ha descrito para el perspectivismo amazónico (Viveiros de Castro 1998), en Mesoamérica, la identificación simultánea con varios "otros" parece ser lo más típico. Una persona asume, simultáneamente, dos o más modos de ver, visiones o perspectivas, se identifica (parcialmente) con más de un otro o se transforma en diferentes personas, dioses y animales a la vez. Además, quien pasa por este proceso nunca abandona su identidad original (Hémond 2008: 13-31; Valdovinos 2008a; 2010; Lira 2014).

Hemos estudiado cómo el cazador huichol se identifica con la presa y puede tomar su perspectiva, y sin embargo no deja de tener el punto de vista del cazador (Neurath 2008a: 251-283). Un caso extremo de multiplicación, transformación y complejización es lo que experimentan los peyoteros huicholes, aquellos grupos de entre 25 y 30 encargados de los centros ceremoniales de las comunidades que viajan al desierto de Wirikuta, en el Estado de San Luis Potosí, para recolectar el cactus alucinógeno peyote (*hikuri, Lophophora williamsii*) y obtener visiones iniciáticas y transformativas que en huichol se llaman *nierika*. A través de este proceso, los peyoteros se transforman en personas-peyote (*hikuritamete*),

Otro nombre de los encargados del centro ceremonial es jicareros (*xukuri'+kate*). Se llaman así porque cada uno de ellos lleva una pequeña jícara que *presenta* una deidad ancestral *wixarika*. Las identificaciones entre jicareros, jícaras y ancestros es bastante fuerte. De hecho, mientras uno tiene el cargo, lleva el mismo nombre que el ancestro de su jícara: Tatewari – Nuestro Abuelo; Tayau – Nuestro Padre; Tamatsi – Nuestro Hermano Mayor; Takutsi – Nuestra Abuela; Tatei – Nuestra Madre. En el centro ceremonial, los jicareros usan los diferentes templos como sus viviendas. El jicarero Tayau vive en el adoratorio de Tayau, el jicarero Tamatsi vive en el templo de Tamatsi, y así sucesivamente.

Las deidades huicholas son muchas y probablemente es imposible elaborar una lista completa. En los grupos de jicareros se hace una selección de los dioses, pero la idea es que sean todos. Juntos, los jicareros son la comunidad primordial. Los jicareros son los ancestros cuando *todavía no* son dioses. Para convertirse en dioses, deben "nacer" –salir de la jícara, que es el vientre de su madre, y realizar el viaje a Wirikuta. Si todo va bien, ellos eventualmente "nacen" como ancestros. Entonces *son* los dioses. Una de las tareas de los jicareros es recoger peyote. Por eso los peregrinos también se conocen como peyoteros (*hikuritamete*). Pero, para ser preciso, solamente es correcto hablar de peyoteros cuando ya están en el camino de regreso, cuando los jicareros ya se han transformado en peyote. Según la lógica animista que caracteriza estas prácticas *wixaritari*, uno no come peyote, uno se transforma en peyote (*hikuri)*.

Figura 1: El centro ceremonial de Keuruwit+a, Jalisco, 2006. (Fotografía de Santiago Ruy-Sánchez).

Los jicareros buscan el Lugar del Amanecer (Paritek+a, literalmente "Abajo del Amanecer"). Al inicio de la travesía salen del mundo oscuro abajo en el Poniente y al final del camino encuentran la luz en el Oriente, porque logran transformarse en peyote. Un efecto casi inmediato del alucinógeno es que todo se ve más luminoso y brillante. De hecho, lo que define a una persona-peyote es la perspectiva, la capacidad de ver como un peyote. Esta perspectiva les permite, por cierto, encontrar peyote. El peyote mismo es un ser que se revela en las visiones de peyote. Los peyoteros usan sombreros con adornos circulares hechos de plumas blancas de guajolote, un elemento que se identifica con las flores de peyote (*tutu*). Así, al vestirse como peyotes, se vuelven peyotes.

Dentro del grupo de los jicareros hay cinco cazadores: el puma, el jaguar, el lobo, el lince y otro felino. Ellos cazan al Hermano Mayor Venado. Según la mitología, el Hermano Mayor es el primero que se transforma en peyote. Lo logra porque se entrega a los cazadores. Antes de morir, todavía les enseña cómo celebrar los ritos huicholes. El venado es el fundador de la costumbre y el más interesado en que ésta continúe.

Figura 2: Fila de jicareros huicholes en el camino a Wirikuta, cerca de Tenzopan, Jalisco, 2008. (Fotografía de Johannes Neurath).

Figura 3: Lupita Robles, una peyotera huichola con su sombrero adornado con plumas blancas de guajolote, Keuruwit+a, Jalisco, 2012. (Fotografía de Anahí Luna).

En el caso de los huicholes, es importante que la experiencia visionaria sea colectiva. La ingestión de peyote facilita que lo sea. Desde luego, hay muchas experiencias individuales, pero ciertas visiones son compartidas por todos los participantes. Todos juntos experimentan el amanecer, todos juntos sueñan la lluvia del Oriente que nace del polvo del desierto y de las lágrimas de los peregrinos. Naturalmente, las experiencias varían en los detalles, pero ciertas visiones son experimentadas simultáneamente por todos los miembros del grupo.

La luz del amanecer se refleja en las caras de los peregrinos, en las bellas pinturas faciales de color amarillo que usan los peyoteros. No todos se pintan con el mismo diseño, porque, obviamente, la gente no experimenta exactamente lo mismo. Pero también queda claro que todos experimentan algo similar, por lo que la experiencia no deja de ser colectiva.

Figura 4: Muestras de las pinturas faciales usadas por los peyoteros. (Tomado de Lumholtz 1986: 267).

Obtener visiones del peyote es importante, pero sería un error enfocarse únicamente en el aspecto farmacológico del ritual. Para los huicholes las visiones no son simplemente el efecto de una sustancia. Explicar toda la religión *wixarika* como un "culto de peyote" es un reduccionismo que he criticado en otras ocasiones (Neurath 2002). Incluso, podríamos preguntarnos qué es más importante: la ingestión de peyote o la abstención del sueño. En etnología se han documentado diferentes métodos para inducir visiones (Descola 1996, Feest 1998). Lo más frecuente son seclusión, ayuno y abstención del sueño, pero también se han documentado prácticas violentas de mortificación, como el autosacrificio mesoamericano (López Austin 1980; Miller y Schele 1986) o la Danza del Sol de los lakota y otros grupos nativos de Norteamérica que veremos más adelante. Un grupo vecino de los huicholes, los tepehuanes del Sur, practican un rito de iniciación sin peyote, pero con un fuerte énfasis en el ayuno y la seclusión (Reyes 2015). En el caso huichol, el "ayuno de sueño" es un aspecto tal vez tan importante como la ingestión de peyote. No dormir durante días implica soñar despierto. Cuando uno está en este estado tan especial, las visiones de peyote son mucho más que ver colores "psicodélicos". Los peyoteros tienen una experiencia transformativa que, como hemos dicho, ellos llaman *nierika*.

Wirikuta, el país de la luz, se opone a la oscuridad del inframundo y del mar en el Poniente. Por eso, Wirikuta no es un lugar para dormir. En el Lugar del Amanecer tampoco se come sal. Los jicareros deben dejar atrás el sueño y la sal del mar. En términos cosmológicos, Wirikuta es donde se levantan las "velas de la vida," que son los postes que los huicholes llaman *hauri*. Con estos ocotes o antorchas de ocote los huicholes levantan el cielo luminoso, que es el techo del mundo. El mundo de la oscuridad siempre existirá y siempre ha existido, pero el mundo de la luz, el techo del mundo, es *creado* o *inventado* en el ritual: se debe renovar periódicamente; es una visión y, por eso, tiene una existencia efímera. En otras palabras, la existencia de Wirikuta no está dada. Solamente existe porque los jicareros la buscan, porque los jicareros aguantan sin dormir, y porque la sueñan despiertos en sus visiones. Es decir, los dioses ancestrales huicholes existen porque los huicholes practican ritos que dan existencia a los dioses. Sin el viaje a Wirikuta no hay dioses huicholes. En la cultura *wixarika* la invención y la creación son altamente valoradas. Lo dado no es mejor, ni más relevante que lo no dado (Wagner 1981). Al contrario. Wirikuta es tan especial, no porque es "natural", sino porque es "artificial". Cada vez que se le visita, Wirikuta vuelve a encontrarse, se vuelve a crear.

Sin embargo, uno no puede realmente llegar a Wirikuta, uno solamente se puede acercar. Llegar a Wirikuta equivaldría a morir, convertirse en un ancestro deificado. Así se establece una paradoja: que la creación del mundo implica la muerte. Para personas vivas, o aún no muertas, crear el mundo es una tarea necesariamente inconclusa. Así que nadie encuentra realmente el Lugar del Amanecer, sólo existe un acercamiento, un tipo de aproximación infinitesimal.

Con todo esto, la ida de la peregrinación es un rito relativamente fácil, el regreso es un proceso largo y complicado. La reintegración de los jicareros a la comunidad es compleja porque ellos son los ancestros, seres potencialmente peligrosos, incluso patógenos. Cuando los jicareros reaparecen en las comunidades de la sierra portan sombreros con plumas blancas que, como se ha dicho, son flores de peyote (*tutu*). Portando estos sombreros las personas-jícara son personas-peyote. En la Danza del Peyote, la última actividad de los jicareros, la transformación continúa. Ahora se quitan las plumas de los sombreros y elaboran trajes de danza. Colectivamente, los peyoteros se transforman en la serpiente de nubes (*haiku*), una especie de serpiente emplumada. En la Danza del Peyote se ve cómo esta serpiente llega desde la Montaña del Amanecer, y baja para lavar el mundo. *Haiku* es el *iyari* del mundo, el "alma" o "aliento" del cosmos. Sin los peyoteros, el mundo no podría estar vivo.

Es decir, cuando los jicareros se vuelven peyoteros se transforman en sus visiones, sueñan o inventan el mundo, y se convierten en la comunidad original, en sus ancestros. Al mismo tiempo se transforman en la serpiente de la lluvia oriental. También intercambian los nombres entre sí y adquieren nuevos nombres y apodos. Su estatus especial en relación con gente normal se expresa a través del "hablar al revés" (hablar en contrarios, hacer juegos de palabras y a través de otras formas de humor ritual) que ha sido descrito por algunos observadores (Myerhoff 1974).

Pero devenir peyote y devenir ancestro desde la perspectiva huichola no es tan difícil. El reto es ser una deidad ancestral y, al mismo tiempo, mantenerse como una persona común y corriente. De esta manera, el retorno de la peregrinación a Wirikuta es la fase realmente crítica del ciclo ritual anual.

En la fiesta de Hikuri Neixa (Danza de Peyote), los peregrinos aparecen transformados en una gran quimera: una serpiente de cascabel que es la primera lluvia que viene del Oriente y lava el mundo. Esta serpiente se compone de unas 25 o 30 personas-venado que brincan y pelean con sus cuernos. Cada uno de los venados personifica a algún ancestro de la comunidad, como el Dios del Fuego, del Sol, de la Estrella de la Mañana, ciertas montañas, lagunas y ojos de agua. Cada danzante acumula por lo menos tres identidades además de su personalidad cotidiana (la que no se transforma por completo). En la danza se produce, además, una quimera acústica. Las sandalias y carriceras (sonajas elaboradas con trozos de carrizo) hacen sonar la lluvia mientras los peyoteros imitan los brincos de diferentes animales.

Lo interesante es la actitud de las personas que no han participado como peyoteros. Les tienen miedo, porque son deidades ancestrales. No los tratan con mucho respeto, ni mucho menos como autoridades. Los obligan a renunciar a sus identidades adquiridas y volver a ser comuneros normales. No aceptan sus dones desinteresados y así convierten los regalos en insumos del orden del intercambio. Como hemos explicado en otro lugar, el don recíproco es un acto ritual que implica la negación de los poderes de los dioses. De cierta manera, los huicholes son una sociedad contra el Estado que no tolera la autoridad de sus propios dioses (Neurath 2015). No aplica la teoría de Maurice Bloch (1986), donde se plantea que, en la fase final de los ritos de iniciación, los ya iniciados, identificados con los ancestros, someten a los no-iniciados. Más bien es al revés.

Esta ambigüedad, incluso falta de respeto, de los huicholes hacia sus dioses ancestrales es también una clave para entender su relación con las imágenes. Para el iniciado huichol es importante producir imágenes, pero también es importante acotar o domesticar su poder.

Las secuencias de transformaciones parciales producen seres quiméricos, como los que aparecen en la Fiesta del Peyote. En obras de arte de casi toda América indígena se encuentran criaturas quiméricas en plena transformación. En el arte precolombino de diferentes regiones abundan imágenes enigmáticas en las que se combinan rasgos humanos y animales. Estos seres "antropomorfos" o "zoomorfos", como los llama la arqueología, son demasiado ambiguos y contradictorios para los enfoques iconográficos convencionales. Lo veremos más adelante cuando estudiemos la iconografía del arte de las antiguas civilizaciones del Mississippi. Siguiendo a Severi (2010; 2017), deberíamos hablar de expresiones de la complejidad ritual. Al igual que otros protagonistas y participantes en los rituales, estos seres enigmáticos acumulan identidades. No pueden ser simplemente "uno". Como vimos, el ritual y el arte ritual no están pensados para ser simples ni para ser fáciles de interpretar. Desde luego, esto afecta las discusiones entre historiadores del arte y arqueólogos sobre las identidades de las deidades en el arte prehispánico.

6. Siempre hay problemas con la imagen

¿Por qué se producen objetos de arte ritual? Los rituales amerindios muchas veces culminan en experiencias efímeras como sacrificios y momentos visionarios. La producción de arte plástico se vuelve importante, incluso crucial, porque otorga duración al instante. Este tipo de arte busca fijar o congelar los momentos de máxima tensión, es decir, el instante de la transformación. A veces, ésta se da en situaciones de muerte sacrificial.

En este sentido, se puede usar la teoría clásica sobre el *fruchtbarste Moment* o "momento embarazado" de Lessing (1964 [1766]) y Goethe (1999 [1798]), que fue retomada por Warburg en su concepto *Pathosformeln* (Warburg 2010: 31-38, Settis 1997). El arte visual dialoga con el arte dramático para plasmar eventos que suceden en el tiempo, eligiendo un momento que da cuenta de todo el proceso en cuestión. Cuando este instante expresa todas las contradicciones de un evento, la obra de arte adquiere una tensión que difícilmente se olvida y que posibilita su *Nachleben,* es decir, su continuidad pese a las interrupciones. Este efecto que parece reanimar la vitalidad de las piezas aparece una y otra vez en la historia del arte.

En este sentido, algunas piezas de arte amerindio fueron creadas en el contexto de prácticas rituales llenas de contradicciones, donde primero se establecía contacto con el poder de los seres de otros mundos y, después, se buscaba manejar todo lo que pasaba en estas interacciones con seres potencialmente peligrosos. Al congelar momentos de gran intensidad, el arte también es parte de los esfuerzos rituales pues mantiene el control sobre los procesos rituales y sobre el poder de los dioses y chamanes. En el arte ritual amerindio el problema de lograr fijar los momentos de mayor tensión se invierte. No se trata de lograr dar vida a figuras inertes, sino de acotar la agencia de seres que se consideran demasiado poderosos. Parafraseando a Warburg, podríamos decir que se trata de *Antipathosformeln.*

También observamos una estética que expresa una relación ambigua con la autoridad. El rechazo a las concentraciones de poder se observa, por ejemplo, en las relaciones con seres divinos y espíritus y con las obras de arte que representan o presentifican a estos seres. Como vimos en el caso de la Fiesta del Peyote, los huicholes practican ritos que se enfocan en evitar que los dioses tengan demasiado poder. Los depósitos rituales que comúnmente se conocen como "ofrendas" recíprocas no son, necesariamente, rituales para establecer contacto con seres divinos (ver Broda ed. 2013), sino intercambios de carácter diplomático con la intención de mantener el *statu quo.* Al elaborar y ofrendar estas piezas, los huicholes buscan evitar problemas que deriven de relaciones directas con los dioses (figura 5).

Figura 5: Una tabla de estambre relativamente sencilla que muestra una típica ofrenda que, en este caso, consiste en una jícara llena de velas, una flecha con astas de venado, y mazorcas. Los animales y la mujer probablemente son dioses-ancestros que reciben la ofrenda. (Artista desconocido, San Andrés Cohamiata, 1979, Museo Nacional de Antropología)

No buscan la comunicación con la alteridad, sino poner un freno a las tendencias transformativas que nos hacen devenir deidades. Así que la meta es domesticar los poderes de los seres de la alteridad, para incorporarlos en una convivencia humana (ver Neurath 2013).

Dado este contexto, podemos entender por qué son tan complicadas las relaciones con imágenes rituales de divinidades. Muchas veces, la actitud ambivalente hacia el poder y la otredad se refleja en actitudes cuasi "iconoclastas" o en la tendencia a limitarse a figuraciones efímeras. A menudo el arte es destruido en un contexto ritual, enterrado o de otra manera alejado de la vista de los humanos. Esto se aprecia, por ejemplo, en el caso de los platos "asesinados" de la cultura Mimbres del Suroeste de Estados Unidos, donde se encontraron miles de recipientes de cerámica bellamente decoradas, pero intencionalmente rotos (Brody 1977) (figura 6).

Figura 6: Cerámica Mimbres, ritualmente destruida. (Dibujo de Nora Rodríguez Zariñán).

En Teotihuacan, los arqueólogos encontraron una figura de un guerrero perteneciente a la fase Xalla y elaborada de mármol, que fue destruida en un contexto ritual. Al parecer mataron a la figura ritualmente disparándole flechas como en un sacrificio humano del tipo *tlacacaliztli* (López Luján, Filloy Nadal, B. Fash, W. L. Fash y Hernández 2006). Podrían mencionarse muchísimos casos más de piezas sacrificadas en contextos de esta naturaleza. Sabemos de las excavaciones arqueológicas que innumerables obras del arte mesoamericano sólo estaban a la vista durante la práctica ritual.

Una estrategia alterna para acotar el poder de las imágenes es evitar la durabilidad del arte. Un ejemplo famoso para el arte ritual efímero son las pinturas de arena de los navajos y hopis que se borran durante los rituales (Newcomb y Reichard 1975). Otro ejemplo son las esculturas comestibles de amaranto que hacían los mexicas (Reyes Equiguas 2006).

En los huicholes observé cómo se evitan relaciones no mediadas con imágenes de seres de la otredad. Las esculturas de los dioses se guardan dentro de pozos rituales, mientras que las ofrendas se colocan sobre las tapas de estos espacios. La única manera correcta de mirar estas esculturas es identificándose con la deidad en cuestión y viendo a través de sus ojos, pero esto implica pasar por un proceso de purificación e iniciación similar al que hemos descrito para el caso de los ritos de peyote. Así como el cactus psicotrópico es un ancestro que logró obtener el "don de ver", las esculturas son antepasados que se transformaron en piedra porque llevaron a cabo una iniciación perfecta. La petrificación implica un logro muy especial: el momento de la muerte sacrificial perdura en el tiempo. Los que practican la iniciación pueden, entonces, tomar la perspectiva del peyote o de las estatuas. En este sentido pueden mirar desde el pozo hacia afuera, pero no de afuera hacia adentro (Neurath 2013).

¿Pero qué pasa con las imágenes que se producen en el arte y la artesanía destinadas a la venta comercial? Las famosas tablas de estambre huicholas se cuelgan en paredes, porque son consideradas obras de arte en el mercado occidental. Sin embargo, para los huicholes estas piezas presentifican seres que miran al espectador. Esto es "delicado" porque, al igual que las estatuas escondidas en los pozos, no son simples imágenes, y pueden causar enfermedades e incluso la muerte con su mirada. De hecho, en el museo, que no es precisamente un espacio ritual tradicional *wixarika*, contemplar estas tablas puede ser riesgoso. Pero, por suerte, las mismas obras distraen a los espectadores de los significados rituales más peligrosos y los llevan a terrenos inofensivos.

En general, el arte y la artesanía de los huicholes se valen de una serie de estrategias para evitar que una imagen tenga poder ritual. Pero este proceso no es tan fácil. De cierta manera, parece que entre los huicholes las obras de arte raras veces tienen la cantidad correcta de poder. O es insuficiente o hay un exceso que debe ser neutralizado. Hay veces que ciertos objetos rituales no tienen suficiente agencia, porque "no hablan" o "no cantan", y el ritual fracasa, pero en otras

Figura 7: José Benítez Sánchez, *La visión de Tatutsi Xuweri Timaiweme*, tabla de estambre, 122 x 244 cm.

ocasiones, las obras producidas con toda la intención de funcionar como simples "artesanías" para venta provocan enfermedades.

Siempre hay problemas con la imagen. Esto aplica, sobre todo, en el caso de aquellos cuadros huicholes de artistas como Juan Ríos Martínez y José Benítez Sánchez, donde realmente hay una intención de expresar qué sucede en los momentos de acercamiento a la muerte sacrificial y de las visiones transformativas conocidas como *nierika*. Estas tablas hablan de las experiencias que dan origen a

(Museo Nacional de Antropología)

estas mismas obras de arte. Son, pues, una reflexión sobre su creación y sobre la forma de obtener el conocimiento chamánico.

No todas las tablas huicholas tienen esta calidad, porque producir tablas que son *nierika* implica correr riesgos rituales. Por ejemplo, igual que en el caso de las estatuas, la manera correcta de verlas sería identificándose con el dios que está sacrificando y muriendo, y ver con su perspectiva desde el cuadro (Neurath 2013), como se puede observar en la figura 7.

Este aspecto lo hemos analizado en el caso de la tabla de estambre huichol *La visión de Tatutsi Xuweri Timaiweme* de José Benítez Sánchez (Neurath 2013). Resulta que los múltiples detalles de las narrativas mitológicas, que son el contenido explícito del cuadro, sólo tienen un valor relativo. El contenido *esotérico* se ubica en un nivel distinto, meta-iconográfico y, de cierta manera, es el más obvio. El espectador tiene la libertad de descubrir las formas que emergen en el cuadro, aunque no necesariamente se trate de figuras intencionalmente planeadas por el artista. Es decir, lo que sería la visión iniciática es lo que emerge del cuadro al contemplarlo por unos minutos y, tal vez –pero no necesariamente– bajo el influjo de algún psicotrópico. Es entonces cuando aparecen caras diferentes y todo tipo de "alucinaciones". Desde esta perspectiva, los grandes discos *nierika* en el centro del cuadro son los ojos del verdadero protagonista. Se revela la cara de una deidad pintada de color amarillo, como las pinturas faciales de los peregrinos huicholes que se elaboran del color de la raíz *uxa*. Resulta que este personaje es Tatutsi, la presa que practica el autosacrificio y se enfrenta al cazador que le dispara. Al mismo tiempo, contempla el amanecer. La visión obtenida queda pintada sobre su cara. La pintura facial tiene la calidad de *nierika*. Como hemos contado, *nierika*, como "instrumento para ver", también puede ser un espejo. Pero un espejo chamánico. Lo que el *mara'akame* ve en un espejo de esta naturaleza es su cara transformada, como sucede con el rostro de Tatutsi en *La visión de Tatutsi Xuweri Timaiweme*.

Efectos de este tipo son comunes en el arte huichol. Al principio la atención se enfoca en ciertos elementos, pero poco a poco emergen otros detalles. Notablemente, los elementos que se perciben después contrastan con los que se notan desde el principio. Luego el cuadro se convierte en un espacio tridimensional, se notan elementos que el artista tan sólo ha indicado y, finalmente, empiezan a emerger figuras que no fueron planeadas por el artista. El efecto estético de la obra se produce, en gran medida, a partir de la pluralidad y simultaneidad de modos de ver. Se pueden descifrar los detalles mitológicos, al mismo tiempo que se pueden "alucinar" toda clase de imágenes fantásticas.

Para entender la articulación entre los diferentes modos de ver es importante tomar en cuenta que un tipo de visión no excluye tajantemente otras. Al mismo tiempo que se descifra el contenido mitológico y figurativo del cuadro, podemos "alucinar" o descubrir formas fantásticas que no se mencionan en la explicación. En este caso, no hay un cambio radical de perspectiva. La explicación que ofrece el artista únicamente se refiere a la lectura mitológica, así que distrae y protege de la experiencia estética-chamánica que el observador podría obtener.

Como dijimos al hablar de los cantos rituales huicholes, los especialistas rituales se identifican con varios "otros" y tienen la capacidad de ver, simultáneamente, de diferentes maneras y desde diferentes perspectivas. Esta situación se ilustra con mucha habilidad en el cuadro *La visión de Tatutsi Xuweri Timaiweme*. La visión del iniciante que *busca* el "don de ver" acumulando, memorizando y sintetizando conocimiento mitológico contrasta con la del iniciado que experimenta una visión generativa de *otras cosas*, transformándose en los objetos inventados durante sus visiones. El iniciado se mira, además, desde la perspectiva del cazador, se ve a sí mismo como víctima. Irónicamente el cazador se identifica con el espectador que difícilmente entiende de qué se trata. El buscador de visiones huichol se entrega a un mestizo ignorante quien, a su manera, también es un buscador de visiones.

Las actitudes ambivalentes hacia la imagen, que son muy comunes entre los pueblos amerindios, implican que se evita mostrar las cosas con claridad. Al igual que entre los huicholes, en la tradición del grafismo amazónico, estudiada por Els Lagrou (2011; 2017), se ha destacado la tendencia de únicamente insinuar la presencia de seres poderosos de la alteridad. Así, se producen figuraciones que muestran algo de las experiencias rituales en relación con espíritus, al mismo tiempo que lo vuelven a esconder. Más bien, lo que se muestra es el proceso iniciático para obtener una visión, de establecer contacto con un espíritu y de adquirir un doble o *alter ego*, pero se evitan las figuraciones que muestren a estos espíritus de una forma más concreta o precisa (ver también Barreto 2010).

En la artesanía huichola observé otras estrategias muy sofisticadas para evitar la significación ritual. En las tablas de estambre elaboradas sobre todo en las décadas de 1970 y 1980 efectivamente se trataba de plasmar experiencias visionarias, y se revelaron asuntos considerados no aptos para no-iniciados. Ahora, en cambio, predomina el arte de la aplicación de chaquira, donde perlas de vidrio se pegan sobre tablas o toda clase de esculturas de madera. Para los huicholes, este arte es de un carácter mucho más inofensivo. Estos mosaicos de chaquira son lúdicos y presentan mezclas arbitrarias de emblemas supuestamente "sagrados": soles, águilas bicéfalas, venados, peyotes, plantas de maíz. Esto permite al cliente sentirse parte de una iniciación, como lo hace Carlos Castaneda en *Las enseñanzas de don Juan* y en *El viaje a Ixtlán*. Los artistas huicholes entienden que el aura sacra de la mercancía no es algo tan distinto al poder de los objetos rituales que no se pueden vender e, incluso, se mantienen secretos. Sin embargo, el supuesto saber revelado no es relevante. Las imágenes de estas piezas más bien resultan ser híbridos extraños. Como hemos argumentado (Neurath 2013), las máscaras de chaquira no pretenden personificar huicholes, sino objetos imposibles, caras de mestizos o no indígenas con decoraciones rituales carentes de sentido. Es decir, lo que se nos vende como compradores occidentales son nuestros propios rostros disfrazados de chamanes, en vano intentando transformarnos en dioses huicholes.

Figura 8: El artista wixarika Kauyumare vendiendo esculturas decoradas con aplicación de chaquira, I Bienal del Arte Huichol, Ciudad de México, 2018. (Fotografía de Johannes Neurath).

Se trataría de parodias que los huicholes hacen de sus clientes, mediante una crítica del comportamiento consumista que tienen los compradores de arte indígena, ávidos por obtener no solo piezas de artesanía, sino también la sabiduría y la espiritualidad ancestral de los indígenas. También constatamos la expresión de una negociación compleja sobre la propiedad del conocimiento y la posibilidad de su intercambio o enajenación, la problemática de revelar secretos y de lucrar con ellos.

A partir de estas investigaciones podrían señalarse algunas tendencias del arte mesoamericano y amerindio que se pueden constatar en diferentes regiones y épocas muy distintas. Sin pretender reducir la diversidad a principios simples, observamos que este arte se caracteriza por una gran intensidad, que oscila entre la violencia y la ironía. Las piezas al mismo tiempo invitan a la identificación y guardan distancia. Las figuraciones muchas veces son ambiguas. Los seres representados son animales compuestos, híbridos y quimeras, que parecen haber salido de sueños y alucinaciones. Por todas estas razones, el arte mesoamericano y amerindio atrae a los que se entusiasman por el expresionismo, al igual que aquellos que prefieren el surrealismo. Para lograr una interpretación adecuada, que tome en cuenta precisamente estas características, propongo una interpretación del arte prehispánico a través de la etnografía indígena, en especial a partir de la relación, siempre compleja, entre arte y ritual. No se trata simplemente de entrar en contacto con seres poderosos de la alteridad, sino de manejar la relación con ellos.

Figura 9: Vasija marajoara.
(Museo de Arqueología y Etnología de las Universidad de Sao Paulo).

En esto, las identificaciones múltiples con seres de muy diversa índole, la acumulación de identidades contradictorias y el esfuerzo de controlar estos seres son estrategias comunes. El arte se produce a partir de esta complejidad relacional y oscila entre mostrar y ocultar; muchas veces tan sólo se insinúan ciertas presencias. Así que el resultado puede parecer bastante enigmático.

Todo indica que los pueblos amerindios siempre se han interesado en la complejidad y las hibridaciones, manejando sus relaciones rituales y políticas con ambigüedad. En este sentido, mi trabajo sobre ritual y arte entre los huicholes es parte de una estrategia para deconstruir ciertas ideas estereotipadas sobre "los indios". En especial, me importa señalar la contemporaneidad de culturas como la huichola, que lejos de "aferrarse a sus tradiciones", "replegarse en zonas de refugio" y "rechazar el progreso" presenta una tendencia a la hibridación y complejización que se manifiesta en sus rituales y en su arte, pero también en estrategias políticas y económicas.

La tradición del indigenismo y de la antropología culturalista se basa en un gran equívoco. Los pueblos indios nunca han tenido "culturas sencillas y tradicionales". Más bien, la práctica de la multiplicación e hibridación es un aspecto central de sus rituales y, como tal, un entrenamiento muy apropiado para actuar exitosamente en un mundo cambiante. En este sentido coincidimos con Marshall Sahlins (1999) y otros antropólogos que rechazan la tendencia de asimilar a los "otros" con el pasado y a "nosotros" con el presente y con el devenir. Hemos asimilado la crítica de Michel-Rolph Trouillot (1991: 39) que señala cómo el "topos del salvaje" (*savage slot*) fundamenta el orden simbólico que *crea* el Occidente. Pero, ¿qué tal si nos acostumbramos a la idea de que los occidentales somos los atrasados? Vimos que las prácticas rituales y artísticas *wixarika* pueden entenderse como un modernismo *avant la lettre*. Si nosotros "nunca hemos sido modernos" (Latour 1993), tal vez ellos nunca han sido premodernos (Neurath 2013). Más bien, a *nosotros* nos cuesta despedirnos de ciertas nociones como la relación clara e inequívoca entre el sujeto y el objeto, el hombre y el animal, el hombre, las cosas y las imágenes, el yo y el otro, la naturaleza y la cultura, por mencionar algunas de las grandes dicotomías que sustentan el naturalismo occidental (Latour 1993). El "ser uno" e inconfundible, el "conócete a ti mismo", las identidades inequívocas, la formación de *un* carácter, son *nuestros* ideales. Insistimos en la linealidad y la homogeneidad del tiempo, en la ley del tercero excluido. Con todo esto, la hibridación nos resulta un problema. Mientras tanto, los indios se entrenan en saber multiplicarse: ser más que uno, ser indio y mestizo a la vez, ser campesino, artista, chamán, brujo, *plastic-shaman*, jornalero, migrante, y muchas otras cosas y, a veces, todo al mismo tiempo.

II. De la escenificación de los mitos a la condensación ritual: los ciclos rituales del noroeste de México y de los mexicas

No es fácil plantear comparaciones etnográficas a nivel americano. Cuando se encuentran similitudes, siempre está el peligro de subestimar la diversidad; cuando únicamente se estudian casos locales, se pierde de vista que no están aislados y jamás lo estuvieron. Negar la unidad cultural amerindia equivale, además, a negar la agencia indígena, la capacidad de los pueblos amerindios de moverse a través de los subcontinentes y de mantener contactos a larga distancia. Así que rechazamos la euforia comparativista de ciertos colegas que buscan demostrar que los pueblos amerindios, en el fondo, son casi iguales, pero tampoco queremos reproducir el *divide et impera* que caracteriza muchas tendencias –desde la tradición culturalista en antropología, que considera cada "cultura primitiva" un universo cerrado en sí mismo, hasta la historia del sistema mundial que únicamente le atribuye al capitalismo global la capacidad de comunicar regiones distantes entre sí (ver Wilde 2018).

Para avanzar hacia un nuevo americanismo, enfocado en cuestiones de ritual y expresiones artísticas, se plantea la necesidad de una revisión de los enfoques clásicos. Comenzaremos con una reflexión crítica sobre la tradición de la "mitología natural" o *Naturmythologie*, donde se plantea que la cultura refleja directamente realidades del mundo físico. En esta *copy theory* del conocimiento (ver Friedman 2002), la diversidad se entiende como un efecto de las condiciones medioambientales, no como algo que se genera creativa y espontáneamente en interacción con otros pueblos y otros seres en procesos que se pueden llamar de etnogénesis. Los enfoques relacionales y ontológicos abren perspectivas para entender mejor las dinámicas culturales de crear siempre nuevas síntesis que se deslindan de los vecinos, pero tampoco producen rupturas demasiado grandes.

1. Mito y mímesis

Inspirados por los filólogos de su época, los antropólogos americanistas de finales del siglo XIX y principios del XX confiaban en la posibilidad de explicar las religiones indígenas a partir de un vínculo causal entre procesos observables de la naturaleza y los ciclos rituales y mitológicos de los pueblos que estudiaron. En esta época, en muchas partes de las Américas aún no se practicaba la etnografía o apenas se daban los primeros pasos; no obstante, la investigación etnográfica ya era muy intensa en la región del Sureste de los Estados Unidos, recientemente anexada por la Unión americana. En la región de los indios pueblo se realizaron algunos de los proyectos etnográficos más relevantes de la época, sobre todo entre los hopis y zunis. Frank Hamilton Cushing (1896), Matilda Coxe Stevenson (1905), Jesse Walter Fewkes (1903), Alexander M. Stephen (1936), Heinrich R. Voth (1905) son algunos de los nombres que se pueden mencionar en este contexto. Otros antropólogos importantes trabajaban con los grupos recién pacificados de las praderas. Los investigadores trabajaban sobre todo para los museos, el Bureau of American Ethnology de la Smithsonian Institution en Washington, D.C., para el Columbian Museum of Chicago, ahora Field Museum of Natural History, y para el American Museum of Natural History en Nueva York.

Veremos más adelante que el historiador del arte Aby Warburg conoció personalmente a varios de estos investigadores y dedicó tiempo para estudiar sus escritos, libros voluminosos donde se aplica muy bien el proverbio alemán que tanto le gustaba a Warburg: *Der liebe Gott steckt im Detail* (Kany 1987)[1]. Mientras que en muchas de las monografías y artículos de esta época se destacan las descripciones minuciosas de los ritos, no siempre se ofrecen interpretaciones muy elaboradas. En general, las fechas del calendario festivo se relacionaban con eventos como los solsticios, con procesos naturales como las transiciones entre las estaciones del año o con los ciclos anuales de las actividades agrícolas.

Los pioneros de la antropología estadounidense tomaron este enfoque de investigadores europeos del siglo XIX, sobre todo de filólogos indo-europeístas y folkloristas.

En alemán se habla de la Escuela de la Mitología Natural, *Naturmythologische Schule*. El representante más importante de esta corriente fue Wilhelm Mannhardt (1968, 1975, 1977). Puede parecer extraño que hoy en día tan poca gente recuerda este nombre. El lingüista Friedrich Max Müller (1879, 1907) es un poco menos olvidado, supongo porque enseñaba en Inglaterra y publicaba en inglés, pero el autor que aún se recuerda ampliamente es James George Frazer, autor de

1 "Dios está en los detalles". Una variante irónica del proverbio latino *Diabolus in singulis latet.*

La rama dorada (1920). El tema predilecto de estos autores era el origen de las religiones politeístas y paganas, o de la religión en general, a partir de la personificación y deificación de fuerzas naturales. Se consideraba que los ciclos de vida de los demonios de la naturaleza era el tema predilecto, tanto de los mitos como de los rituales. Muchas veces no se preguntaba más. Estos pueblos eran "gente de la naturaleza" –*Naturvölker*, como se decía en alemán. Como estos pueblos vivían en la naturaleza, sus ritos y mitos la reflejaban. Aparentemente, los pueblos primitivos no necesitaban más razones para celebrar sus ritos.

Aunque esta argumentación tautológica pueda parecer poco satisfactoria (Kohl 1988-2001), el enfoque tuvo mucho impacto en todas las disciplinas antropológicas y filológicas que se establecían poco a poco a finales del siglo XIX y principios del XX. La mitología natural era un paradigma antropológico prácticamente universal (Pöge-Alder 2007). Una subcorriente particularmente popular entre los americanistas alemanes y austríacos fue el astralismo o Escuela de la Mitología Astral, cuya figura principal fue Eduard Seler (Seler 1899, 1905, 1907, 1923, ver también Preuss 1905a, 1905b, 19010, 1929).

Es sorprendente darse cuenta cuántos planteamientos de esta escuela se han transmitido acríticamente hasta la actualidad. Al parecer, en los estudios mesoamericanos la generación de los fundadores fue tan influyente que aún hoy en día se argumenta con los esquemas desarrollados por la Escuela de la Mitología Natural. Ciertamente se han hecho intentos de ir más allá de estos enfoques (Nowotny 1961), pero los paradigmas de Eduard Seler aún dominan el debate, sobre todo en el campo de lo que ahora se conoce como arqueoastronomía (Broda 1987, Aveni 2001; Šprajc 2001; Milbrath 2013).

En lo que se refiere a los estudios etnológicos del Suroeste de Estados Unidos, el enfoque fue retomado por los funcionalistas-estructuralistas y, de esta manera, culminó en la obra monumental de Misha Titiev (1944) sobre *Old Oraibi*. Después comenzó a perder importancia, aunque todavía está muy presente en el controvertido *Libro de los hopis* de Frank Waters (1963).

Sir James Frazer (1920) popularizó una teoría de la magia donde se supone que los ritos mágicos son intentos fallidos de los pueblos primitivos de manipular a la naturaleza, una tecnología de la gente sin tecnología avanzada. Este planteamiento ha sido duramente criticado, notablemente por Wittgenstein (1996 [1967]) Douglas (1966) y Tambiah (1990), por inadecuado, eurocentrista y hasta racista. Sin embargo, la idea logró un arraigo sorprendente dentro del campo de los estudios prehispánicos. Materialistas y algunos marxistas incorporaron a Frazer y su versión de la mitología natural en sus esquemas ultra-funcionalistas, reinterpretando los mitos y ritos como propaganda. Surgió la imagen de unas élites sacerdotales que manipulaban las poblaciones de lugares como Tenochtitlan, para hacerlas creer que la continuidad de la vida y de los ciclos naturales dependía de ritos sangrientos como los sacrificios humanos mexicas (Soustelle 1955: 102; Erdheim 1978; Wolf 1999: 154). En los estados con un "modo de producción asiático" la vieja mitología natural se convirtió en una ideología "creada por gobernantes cínicos que inventan métodos sutiles y convincentes de mistificación para dominar a los demás" (Bloch 1986: 6). Es decir, en las teorías arqueológicas, el arte maya forma parte de un lavado de cerebro de las masas, que hoy en día ya no se lleva a cabo por medio de murales y estelas con relieves e inscripciones, sino con anuncios en los medios y espectaculares o *billboards* (ver Navarrete 2000). Claro, como dice Zamora (2016), "No hay duda de que el arte espectacular de las cortes mayas manifestaba el poder de las élites, pero es problemático si tratamos de entender todo este poder simplemente como una proyección o una fachada –una justificación ideológica de una cosmovisión".

En épocas más recientes, el énfasis se pone en la reproducción de los aspectos menos ideológicos de la *cosmovisión*, basada en la idea de que las sociedades pre-modernas aún vivían en relativa armonía con la naturaleza y compartían representaciones colectivas. Desde que surgió este énfasis en los equilibrios cósmicos, las clasificaciones binarias se entienden como la *raison d'être* de las religiones pre-columbinas (López Austin 1980; Miller y Schele 1986; Matos 1987). El ritual tiende a ser visto como un esfuerzo de conectar y ordenar los elementos dispares del cosmos para mantener un orden frágil (López Austin 1994; Descola 2012). Ya no se habla de "falsas conciencias", sino de un conocimiento bastante adecuado, aunque pre-científico, de la naturaleza, basado en observaciones correctas, parcialmente influenciadas o distorsionadas por ideas sin fundamentos empíricos, incluso contra-intuitivos. Los rituales se entienden, entonces, como mecanismos para lograr la fusión de lo correctamente observado y de lo puramente mitológico en una "realidad social" compartida, aceptada y vivida (Broda 1987: 212; 1991b: 462).

Ahora bien, en este punto es importante hacer una pausa y preguntarse si realmente creemos que pueblos como los mexicas celebraban sus rituales para estimular la fertilidad de los campos o de las mujeres. ¿Realmente existían deidades que eran personificaciones de los elementos o fuerzas de la naturaleza? ¿*Rezaba* la gente a estas deidades para obtener lluvia y la regeneración de la naturaleza? ¿O cómo se relacionaban con sus dioses? ¿Qué tanto es cierto que lo que se celebraba eran los cambios estacionales y eventos como la siembra y la cosecha? Si no queremos seguir tomando estas cosas como simples hechos, podemos explorar otros enfoques que existen en el estudio de la acción ritual. Redescubriendo a Bateson y su estudio del festival *Naven* de los iatmul de Nueva Guinea (Bateson 1958), se formuló una teoría donde la acción ritual es por definición compleja y no corresponde a una lógica simple de un actuar dirigido a una meta. Se encontró que el ritual expresa relaciones sociales contradictorias, incluso incompatibles (Houseman y Severi 1998). Asimismo, los diferentes participantes de un ritual no tienen por qué estar de acuerdo sobre el significado de su papel o de su *performance* (Humphrey y Laidlaw 1994). Por ejemplo, lo que uno puede entender como un intercambio recíproco, el otro lo vive como un don libre (Rio 2007). Todas estas situaciones implican lo que se ha llamado "condensación ritual". Lo que se trata de explicar es la razón por la cual los rituales son tan extraños y complejos.

Al mismo tiempo, surgieron los autores que plantean el "giro ontológico" y rechazan las interpretaciones antropológicas únicamente basadas en el naturalismo occidental. En este contexto se cuestiona la idea de la representación ritual, que implica otorgarse el derecho de juzgar las prácticas ajenas como meramente simbólicas, es decir, al fondo irracionales. Incluso Marx y su teoría del "fetichismo de la mercancía" no se salvó de esta crítica (Viveiros de Castro 2015; Graeber 2015).

2. El origen del drama en América

Mientras que dominaba la mitología natural, en la Alemania de principios del siglo XX también había una corriente que, en algunos aspectos importantes, se oponía al paradigma. La conocí a través de la obra de un clásico de la etnografía del Gran Nayar, Konrad Theodor Preuss (Neurath and Jáuregui 1998; Neurath 2007).

Preuss visitó la región indígena del Occidente de México entre 1905-1907, recopiló mitos y textos rituales en tres diferentes lenguas nativas (cora, huichol y náhuatl) y adquirió una gran colección etnográfica para los museos de etnología de Berlín y Hamburgo. Hasta hace unos años Konrad Theodor Preuss era un autor muy poco conocido (Rühle 1930; Jungbluth 1933; Lehmann 1939; Riese 1991; 2001). En Alemania se le recordaba sobre todo por las circunstancias no aclaradas de su muerte durante el régimen nazi (Kisch 1944; Díaz de Arce 2001; 2005; Neurath 2007). Con el apoyo del Centro de Estudios Mexicanos y Centroamericanos (CEMCA) de la Embajada de Francia, que bajo la dirección de Jean Meyer entonces editaba una serie de obras sobre antropología e historia del Gran Nayar, comencé a traducir una serie de artículos etnográficos del autor que se publicaron bajo el título *Fiestas, literatura y magia en El Nayarit* (Jáuregui y Neurath 1998).[2] Para la

2 En el curso del proyecto de rescate de la obra de Konrad Theodor Preuss se publicaron algunos textos más que aquí retomaremos. Desde luego, la introducción de la primera publicación (Neurath y Jáuregui 1998) requiere una actulalización, porque se ha avanzado bastante desde entonces. La rivalidad con Seler se trata en Jáuregui y Neurath (2003: 19-33), la etnoastronomía de Preuss se evalúa en Neurath (2004: 93-118), sus enfoques sobre arte ritual se retoman en Neurath (2007 y 2013), el trabajo lingüístico de Preuss se analiza en Valdovinos (2008b y 2012);

introducción del volumen queríamos profundizar sobre la biografía de nuestro autor y aparecieron muchos detalles interesantes. Quedó claro que en sus tiempos era un famoso teórico de la antropología que había influenciado figuras importantes como Jan Petrus Benjamin de Josselin de Jong (Effert 1992) y Maurice Leenhardt (1997 [1947]). Pronto aparecieron los nombres de Hermann Usener, Ernst Cassirer y Aby Warburg. Preuss es de los autores más citados por Cassirer en sus obras sobre pensamiento mítico (Cassirer 1924; 1995; 2010; 2013; ver Alcocer 2006). Como veremos más adelante, también Warburg se refiere a trabajos de Preuss, notablemente en el texto de la conferencia conocida como *El ritual de la serpiente* (*Schlangenritual*) (Warburg 2010: 495-600). En 1926 Preuss fue uno de los pocos antropólogos invitados a impartir una conferencia en la Biblioteca Warburg, que posteriormente fue publicada por la Biblioteca Warburg (Preuss 1930).

Preuss nació en una pequeña ciudad de Prusia Oriental y cursó las carreras de geografía e historia en la Universidad de Königsberg. En 1894 presentó su tesis doctoral sobre *Las costumbres funerarias de los americanos y de los asiáticos nororientales*. Desde éste, su primer trabajo científico, Preuss plantea una crítica a la tendencia en los estudios de la religión que universalizan el dualismo metafísico de las tradiciones occidentales (Preuss 1894). Sobre todo argumenta contra la teoría animista de E. B. Tylor sobre el origen de la religión (Taylor 1977 [1871]). Debido a este trabajo, Preuss se asocia frecuentemente a la Escuela del Preanimismo del antropólogo británico R. R. Marrett (1900).[3] En 1895 cursó estudios de etnología en la Universidad de Berlín y se incorporó al Real Museo de Etnología. Desde entonces, Preuss fue un antropólogo cercano al gran Adolf Bastian.

A principios del siglo XX Berlín era un centro de los estudios amerindios. Gerd Kutscher (1976) narra cómo desde los días en que Bastian tuvo a su cargo la dirección del Real Museo de Etnología se concentraron en esta ciudad una serie de investigadores extraordinarios dedicados a la americanística. Entre ellos destacan Karl von den Steinen y Paul Ehrenreich, exploradores de Brasil, y los mexicanistas Eduard Seler, Konrad Theodor Preuss y Walter Lehmann. Para Franz Boas, al igual que para Max Uhle, Berlín era el punto de partida de una carrera científica brillante, continuada con éxito más allá del Atlántico, el primero en los Estados Unidos y el segundo en Perú, Ecuador y Chile.[4]

Alcocer (2002, 2006, 2008) reconstruyó una tradición intelectual que comienza con Wilhelm von Humboldt y llega hasta Preuss y Cassirer.

3 Ver también Van der Leeuw 1930: 1366-1368.

4 También Theodor Koch-Grünberg y Max Schmidt estuvieron durante algún momento ligados al Museo de Berlín. Mientras que los antropólogos británicos y franceses se especializaban en investigar sobre las poblaciones nativas de sus respectivos imperios coloniales (África los franceses, y África, India y Australia los británicos), los alemanes producían casi la totalidad de las etnografías

Inspirado por Eduard Seler, entonces curador del Departamento Americano del museo, decidió dedicarse a Mesoamérica, al estudio del náhuatl clásico y a la lectura de los manuscritos pictóricos prehispánicos (*Bilderhandschriften* o códices). Pronto comenzó a publicar una serie de artículos sobre el México antiguo (Preuss 1900; 1901; 1903a; 1903b; 1904a; 1904b; 1904-1905;[5] 1905a; 1905b; 1906a; 1906b; 1909). En estos primeros textos Preuss planteó que los sacrificios humanos tenían que entenderse como sacrificios de demonios, encaminados a incrementar la fuerza mágica de deidades identificadas con fenómenos naturales. De hecho, considera que, junto al sacrificio, a la escenificación de batallas y a los coitos rituales, todas las formas de expresión artística surgen de la acción mágica dirigida a propiciar abundancia. Lo que distingue a los dioses del resto de los seres y objetos es que concentran en sí más fuerza mágica, pero en sentido estricto debe considerárseles objetos del mundo natural que, como tales, se caracterizan por su capacidad para transformarse (*Verwandlungsfähigkeit*). En ésta y no en una existencia sobrenatural, yace su esencia (Preuss 1904-1905: 419).

Como teórico de la magia, también era un seguidor de la *Naturmythologischen Schule*, pero observamos que Preuss desarrolló una faceta diferente, no tan conocida: era un continuador del proyecto nietzscheano de reconstruir el origen del teatro griego (Nietzsche 1872). En el contexto de esta búsqueda planteaba comparaciones entre los indios pueblo del Sureste de Estados Unidos y los mexicas, pero también con los antiguos griegos y los hindúes védicos. Preuss constató que las fuentes disponibles sobre los griegos se refieren a situaciones donde la separación entre teatro y ritual ya estaba muy avanzada. De esta manera, su idea era que el origen común del ritual y del teatro se podía entender mejor a partir de descripciones etnográficas sobre los rituales indígenas americanos. Solamente en los ritos hopis (entonces se decía mokis o *Tusayan*), zunis (o zuñis) y aztecas (mexicas), el espectáculo que hacen figuras lúdicas, como los bufones o los portadores de falos, y las diversas prácticas mágicas, aún se perciben como una unidad (Preuss 1904b; 1906b). Los ejemplos tomados de la ritualidad de diversos grupos amerindios los comparó con la figura greco-itálica del *mimus*, que es uno de los géneros principales del teatro antiguo y se caracteriza por un alto grado de realismo en su imitación cómica de todo tipo de situaciones (*mimesis biou*), aunque su estudio se dificulta por lo fragmentario de las fuentes disponibles (Reich 1903; Preuss 1904b: 162; Vretska 1979).

Por otra parte, inspirado por la propuesta del gran filólogo clásico, historiador de la liturgia y folclorista Hermann Usener de la Universidad Bonn (Rühle 1931,

---

sobre Brasil y otros países de Latinoamérica (Hermannstädter, ed., 2002; Sá 2002: 61-71).

5 Este ensayo bastante largo fue publicado por entregas en *Globus. Illustrierte Zeitschrift für Länder- und Völkerkunde* 86 (20): 321-326, 86 (22): 355-363, 86 (23): 376-380, 86 (24): 389-393, 87 (19): 333-337, 87 (20): 347-350, 87 (22): 380-384, 87 (23): 394-400 y 87 (24): 413-419.

Momigliano 1982; Schlesier 1994, Wessels 2003), Preuss comenzó a mostrar un gran entusiasmo por la teoría del *drómenon*, que era un planteamiento sobre la acción ritual como un acontecimiento real y efectivo, es decir, de carácter no-mediado o no-representativo (Usener 1904a). Este enfoque proviene, en última instancia, de la teología cristiana, en especial de Tomás de Aquino.[6] En su artículo programático "Mythologie", Usener (1904b: 17) acuñó la frase, a primera vista hereje, de que "el sacramento no se diferencia en nada del acto mágico". Sin embargo, el teólogo católico Odo Casel, quien era cercano a Usener, retomó la idea y contribuyó a la fundamentación de la doctrina de los sacramentos durante los debates teológicos de la época. Como ha señalado Giorgio Agamben, con el axioma *sacramenta efficiunt quod figurant* (Thomas de Aquino, *Summa Theologiae*, 3a parte, Pregunta 62,1), la teología se adelantó a la pragmática y a las teorías del acto de habla (Agamben 2009, 2012). Así, la antropología useriana de esta época producía un enfoque que, en el estudio de las religiones, claramente privilegiaba a la acción ritual. Con esto marcó una diferencia importante frente a los simbolistas de la *Naturmythologischen Schule*.

Cuando en 1897 el historiador del arte Aby Warburg asistió a la Sociedad Etnológica de Berlín y presentó una de sus primeras conferencias sobre "Imágenes sobre la vida de los Indios Pueblo en Norteamérica", Preuss aún era simbolista. Bredekamp cita un documento donde Warburg expresa su disgusto por esta actitud en él y en otros antropólogos jóvenes de entonces (Bredekamp 2019: 58-59). Pero durante 34 años, a partir de 1904 hasta su muerte, Preuss formó parte del consejo editorial del *Archiv für Religionswissenschaft*, la importante revista que se consideraba el órgano oficial de los seguidores de Usener, a quienes también se les conocía como la *Religionswisenschaftliche Schule*. Un tema que aquí no podemos tratar con detalle es cómo Preuss desarrolló una teoría sobre el origen de los dioses mesoamericanos a partir de las propuestas de Usener (1896). Los *Augenblicksgötter* aparecen en la fiesta Huey Tozoztli, cuando plantas de maíz son traídas de las milpas y a los participantes en el ritual repentinamente se les revela su fuerza mágica. Según otra propuesta de Preuss, las concepciones más antiguas sobre las deidades son los "dioses de las categorías" (*Gattungsgötter*). En esta primera clase aún se manifiesta el pensamiento primitivo con su tendencia a identificar el uno con la totalidad, ya que un *Gattungsgott* se identifica con el género que representa, por ejemplo, un dios astral con la totalidad de las estrellas, o un dios animal con todos los ejemplares de su especie. En un siguiente paso, los "dioses de las actividades" (*Tätigkeitsgötter*) se caracterizan por ser relevantes sólo para ciertos miembros de un grupo humano (Preuss 1914: 34-54). En esta

6 http://www.corpusthomisticum.org/osf.html

fase, las deidades no son otra cosa que las herramientas usadas por los diferentes oficios. El hombre, al crear objetos de la vida cotidiana, herramientas y armas se da cuenta de que usar y poseer instrumentos es tener (como se diría hoy en día) "agentividad". En otras palabras, operar herramientas y armas es lo que hace poderoso a los seres. Entonces, ciertos objetos no son simples cosas, sino seres animados o deificados. Preuss subraya que estos instrumentos no son parte de la parafernalia o atributos de los dioses, sino que son los dioses. En el caso de los indígenas del Gran Nayar, que Preuss estudió durante su viaje a México, los dioses son jícaras y flechas, objetos utilizados por los chamanes y encargados del centro ceremonial (Preuss 1998, ver Neurath 2002; 2007; 2013).

Entre los ensayos de Preuss, que se pueden entender como una continuación del proyecto de Usener, se encuentra un texto titulado "Demonios fálicos de la fertilidad como portadores del drama mexicano antiguo. Una contribución a la prehistoria del drama cósmico mímico" ("Phallische Fruchtbarkeits-Dämonen als Träger des altmexikanischen Dramas. Ein Beitrag zur Urgeschichte des mimischen Weltdramas"), donde Preuss compara los antiguos ritos griegos y germánicos de la fertilidad agrícola con ritos mexicas documentados por los cronistas del siglo XVI, y con rituales hopis y zunis, registrados por antropólogos norteamericanos durante los últimos años del siglo XIX (Preuss 1904b: 185).

En las comparaciones entre Mesoamérica y el Suroeste de Estados Unidos, Preuss sigue al investigador de la Smithsonian Institution Jesse W. Fewkes (1893), quien llamó la atención sobre la similitud entre las ceremonias mexicas de Atamalcualiztli, descritas por Sahagún, y las danzas de la serpiente en los pueblos tusayan o hopi.[7] Preuss propone que en ambas regiones hay un material comparativamente abundante que permite reconstruir con claridad cómo las religiones politeístas se desarrollan a partir de cultos demoníacos de la fertilidad.

3. La condensación ritual en Mesoamérica

Como vimos, la *Naturmythologie* ha estado oscilando entre enfoques funcionalistas y posiciones más bien fenomenológicas. Asimismo, pueden distinguirse autores con planteamientos simbólicos o metafóricos, y algunos que hablan bien de mímesis o, incluso, de formas no-dualistas de "presentificar" a los dioses de la naturaleza en el ritual.

Cuando inicié mis estudios etnográficos sobre el ciclo ritual de los huicholes tuapuritari en el Occidente de México, aspectos de mitología natural, o de una

7 Tusayan refiere al municipio donde se encuentran los pueblos hopi.

cosmovisión que reflejaba realidades naturales, no eran difíciles de encontrar. Las ceremonias huicholes, coras y tepehuanes de la región del Gran Nayar celebran las fases principales de la vida del maíz: la siembra de la semilla, el maíz tierno y las mazorcas secas. Cada una de estas fases se equipara con una fase de la vida humana (Neurath 2002, Valdovinos 2008a) y con etapas de la creación del mundo (Neurath 2002). En este sentido, no es posible descartar totalmente los planteamientos de la mitología natural, pero era importante resaltar asimetrías y paradojas, que no caben tan bien en el esquema tradicional de los estudios convencionales sobre mitologías y cosmovisiones indígenas. Me acerqué al tema de la complejidad ritual porque los rituales siempre tenían más de un significado. En términos de Victor Turner (1967) se podría hablar de "polisemia" o "condensación simbólica", pero en el ritual huichol no solamente había más que un nivel de significados, sino acciones contradictorias. Por eso, a partir de cierto momento, preferí retomar la propuesta de la "condensación ritual".

Para ejemplificar este planteamiento, retomaré la etnografía de Hikuri Neixa, extendiendo el análisis a la fiesta siguiente, Namawita Neixa, y plantearé una comparación con una de las fiestas de las veintenas mexicas, la onceava, llamada Ochpaniztli, "la fiesta del barrer", que normalmente se considera una celebración de los primeros frutos.

Las veintenas eran las fiestas de los 18 "meses" de 20 días que conformaban el ciclo anual ritual de los mexicas, mayas y otras civilizaciones de la Antigua Mesoamérica. De cierta manera, des-enfatizaremos, aunque no negaremos, el vínculo de la fiesta con una temporada específica del año agrícola. La pregunta no solamente es: ¿Existe la "condensación ritual" en las fiestas mexicas de las veintenas? La hipótesis es que este enfoque ayuda resolver problemas que se dieron en el estudio de las veintenas, por la confianza excesiva y poco reflejada que casi siempre se ha dado a la posibilidad de una correlación uno a uno entre el ciclo ritual, las actividades agrícolas y las estaciones del año.

La comparación entre los rituales de los pueblos actuales del Gran Nayar y ceremonias prehispánicas tienen una cierta tradición, aunque siempre se ha planteado de una manera bastante unilateral. Desde Seler y Preuss la etnografía de las fiestas coras y huicholes hace mucho ha servido como "fuente" para el estudio de las veintenas, porque las religiones de los pueblos de la Sierra Madre Occidental se consideraban particularmente tradicionales y poco contaminadas por el catolicismo (Seler 1901; 1923; Preuss 1912; López Austin 1994; Graulich 1999). Otro problema fue de índole metodológico, ya que estas comparaciones se hicieron a pesar de que los rituales del Gran Nayar realmente no se habían documentado bien. No fue hasta hace muy poco que contamos con etnografías más o menos completas (Coyle 2001; Neurath 2002; Valdovinos 2002; 2008a;

Lira 2014). Por el otro lado, aunque no me puedo considerar un especialista en historia mexica, debo aprovechar mis experiencias etnográficas para aportar algo a estas comparaciones, aunque sea para des-estabilizar los modelos existentes.

En el trabajo de campo entre los huicholes y coras, Preuss fue de gran ayuda para que me fijara en aspectos no-representacionales del ritual, por ejemplo en la transformación de los jicareros en sus propios ancestros y en su identificación con objetos rituales, como jícaras y flechas. No se trata de simples metáforas, sino de presentificaciones. En este sentido, el ritual tampoco es una repetición o una actualización de un acontecimiento mítico, sino que siempre sucede la primera vez. El contenido del ritual es su origen (Preuss 1933: 9).

Como ya comentamos, no quiero ir tan lejos para afirmar que toda acción ritual sea no-representacional, pero hay fases donde queda claro que los participantes no están actuando. No es únicamente la intensidad que nos indica esto, sino que hay formas lingüísticas especiales, como la evidencialidad, que expresan la realidad de transformaciones (ver Déléage 2009b). En otros contextos se emplean marcadores espaciales que indican las identidades cambiantes de los enunciadores (Valdovinos 2008a). Muchas veces, lo más sorprendente es la facilidad de la transformación. Como explican Viveiros de Castro (1992; 1998) y Descola (2012), el alma no está afectada por estos procesos, porque en lo interior no cambiamos. Un atuendo ritual es, más bien, lo equivalente de un equipo de buzo o un traje espacial que permite penetrar mundos ajenos (Viveiros de Castro 1998: 482).

En todo esto, lo más importante es controlar las relaciones con los seres de la alteridad y es esto lo que realmente se aprende en la iniciación huichol. Me di cuenta de que, en el contexto de esta problemática, muchos pequeños detalles aparentemente insignificantes de los rituales resultan relevantes. Por ejemplo, todo el tiempo se les dice a los dioses que se sienten, que descansen, y se les ofrece sillas, petates y camas. Es que nadie quiere que estos seres se estén moviendo demasiado. Siempre hay un peligro de que el fuego se salga de la fogata, los dioses salgan de sus jícaras, sillas o camas, o que las estatuas recobren su vida y salgan volando para atacar a la gente. Ya hablamos de los sueños, donde es crucial aprender a no contestar a los dioses, no dejarse invitar a lugares extraños y no aceptar la comida que ofrecen.

Las identificaciones antagonistas fueron una sorpresa y me ofrecieron elementos interesantes para criticar los enfoques de la antropología simbólica. Entender que hay aspectos importantes del ritual que no reflejan ciclos de la naturaleza fue un poco más difícil, porque en este punto uno entra realmente en conflicto con uno de los paradigmas más firmemente establecidos y, prácticamente, nunca se había hecho un intento de cuestionarlo. En la tradición de las ruedas calendáricas europeas, que correlacionaban los meses del año solar, los signos de zodiaco y los trabajos agrícolas de cada temporada, también en los inicios de la Colonia española en Mesoamérica se producían representaciones circulares de los calendarios festivos. Ejemplos son la Rueda Calendárica Boban que se encuentra en la John Carter Brown Library o los Calendarios Veytia (Díaz 2019). Cuando comenzaron los estudios mesoamericanos en el siglo XIX, se daba por hecho que existía una relación muy estrecha entre el calendario agrícola y los ciclos rituales. Las fuentes escritas principales sobre los mexicas, Sahagún (1950-1969) y Durán (1984), efectivamente, ofrecen muchos argumentos que apoyan esta idea. Asimismo, se encontró mucho material etnográfico que apoyaba el paradigma, desde luego también entre los huicholes.

Recuerdo largas discusiones con Gustavo Torres sobre las fiestas de las veintenas mexicas, cuando trabajaba en comparaciones entre los mixes y los rituales prehispánicos. Se trataba de encontrar el significado preciso de cada una de estas festividades, pero el material disponible no apoyaba siempre este tipo de correlaciones. Una hipótesis lanzada por Michel Graulich era particularmente interesante: planteaba que, debido a la falta de ajustes calendáricos tipo bisiesto, el ciclo ritual mexica prácticamente era una inversión del ciclo estacional, así que en la época de la cosecha se celebraba la siembra y *vice versa*. Esta teoría parecía más que inverosímil, pero el profesor belga logró encontrar argumentos bastante buenos en las fuentes que apoyaban su tesis (Graulich 1987; 1999; Torres 2001). Otros investigadores también se toparon con incongruencias entre el ciclo de las fiestas y las realidades climáticas y ecológicas del Centro de México. Johanna Broda señaló que en el calendario de los mexicas se combinaban varios ciclos rituales, así que no todas las ceremonias de las veintenas descritas por los cronistas correspondían al año tropical (Broda 1983). Asimismo, se practicaba una combinación de técnicas agrícolas, con diferentes fechas de siembra y cosecha (Broda, comunicación personal).

El enfoque de la condensación ritual ayuda a desvincularse de este énfasis tan unilateral en correspondencias entre rituales y fechas en el calendario. Pero debemos ser justos y reconocer que sí ha habido intentos interesantes de mesoamericanistas de tomar en cuenta una cierta complejidad ritual. Karl Anton Nowotny (1961: 198) era un crítico de los esquemas propuestas por Seler y rechazaba apasionadamente el concepto de religión astral. Broda (1987) resalta las incongruencias entre las fiestas documentadas y los hallazgos arqueológicos en el Templo Mayor. Las ofrendas de objetos, como restos humanos y animales, sobre todo de animales marinos, figuras y joyas de piedra verde, ollas, cuchillos de sacrificio, papel ceremonial, miniaturas y muchas otras cosas, nos indican cuál era la importancia de rituales realizados a partir de una lógica de intercambio recíproco, mientras que los ritos sacrificiales documentados por Sahagún y Durán jamás hablan de esto.

En sus estudios sobre el *Popol Vuh*, Gordon Brotherston señala la complejidad relacional y la interacción entre humanos de la superficie de la tierra y los habitantes del inframundo Xibalba. Lo gemelos héroes luchan contra los seres de la oscuridad, pero también celebran un tipo de alianza o matrimonio. El resultado de esta relación es el maíz (Brotherston 1992, 1994, 2008). Incluso Graulich (1999) ofrece pistas para entender lo que sería la condensación ritual. En su interpretación de los rituales mexicas, existe una alternancia entre luchas cósmicas y ceremonias que celebran el "pecado" o la transgresión. Lo que no consideró es la posibilidad de una simultaneidad de ambos rituales.

La identificación antagonista es un tema de importancia creciente para los estudios mesoamericanos. En algunos de los pasajes más fascinantes de su más reciente libro, Guilhem Olivier explica las relaciones ambivalentes que existían entre los mexicas y sus dioses. Muchas deidades mexicas se consideraban enemigos de los mismos mexicas. Las mujeres embarazadas se identificaban con una deidad, Tlazoltéotl, que daba luz a enemigos de guerra. Incluso el monarca azteca era un ser doble. Olivier reconstruye un ritual donde el *tlatoani* adoptaba la identidad del dios de sus principales enemigos, para generar a la figura Huitzilopochtli-Yáotl, "ciertamente deidad tutelar mexica pero calificada como 'Enemigo'" (Olivier 2015: 653). Con Sahlins (1985; 2008), se podría plantear que el *tlatoani* era un *stranger king*. La simultaneidad de relaciones de identificación y antagonismo que explica como un rey o una deidad tutelar son también los peores antagonistas de su propio pueblo, o como la deidad de las embarazadas puede ser la madre de los guerreros enemigos.

Igualmente, en los estudios recientes sobre el sacrifico humano mexica, se enfatiza la red de identificaciones y antagonismos que estaban en juego. Las víctimas eran enemigos que primero se humillaban, les agarraba el cabello y los presentaban desnudos y amarrados con sogas. Pero después se establecieron identificaciones entre los enemigos presos y los dioses. Incluso se les ponía la pintura corporal, los tocados y los ornamentos de las deidades específicas que presentificaban en el ritual. De hecho, los dioses nacían cuando las victimas morían. Los estudiosos del ritual mesoamericanos prehispánico reconocen que sacrifico y transformación animista son procesos inseparables. Por eso se decía que las víctimas eran *ixiptla*, "imágenes" de los dioses, que se convirtieron en presentificaciones (Fujigaki 2015; Declercq 2018).

Es importante darse cuenta del cambio de paradigma. Para Preuss y otros mesoamericanistas de la Escuela de la Mitología Natural la clave para entender las religiones mesoamericanas del presente y del pasado era un mito, la lucha del sol contra las estrellas o la serpiente de la noche. En varios autores, este "mitema" funge como principio organizativo para un análisis de las religiones que se ha llamado protoestructuralista (Preuss 1905a; 1905b; 1912; 1929; ver Neurath y Jáuregui 1998; Neurath 2004; Alcocer 2008). Desde luego, también aquí hay algo de cierto. Entre los huicholes, ya Carl Lumholtz (1902: 107-108) había documentado un mito huichol donde el sol naciente peleaba contra los demás dioses y contra los animales nocturnos, una historia muy similar a la del nacimiento de Huitzilopochtli en el Coatepec que vence a todos sus hermanos, las estrellas, y su hermana Coyolxauqui, la diosa de la luna. Al comenzar su expedición al Nayar, Preuss confirmó la importancia de estos mitos astrales, y en sus informes expresa la felicidad de haber logrado comprobar sus interpretaciones sobre la importancia de la lucha cósmica (Preuss 1998: 134). La rapidez de la comprobación de la teoría puede parecer un poco sospechoso, pero Seler (1923) y otros estudiosos retomaron la idea y entre las generaciones posteriores de mesoamericanistas, la lucha del sol contra las estrellas se convirtió en una línea de interpretación bastante bien establecida, incluso un paradigma (Caso 1953: 47-54; Graulich 1999: 40-43).

Ahora bien, es cierto que existe entre los huicholes una identificación de las personas iniciadas con el sol naciente. Vimos en el capítulo anterior que la llegada de los peyoteros al pueblo es un momento peligroso, porque los dioses son agentes patógenos que pueden provocar desgracias con su presencia y sus miradas. Coyle (2001) documentó una identificación similar entre encargados de la comunidad cora con el sol renovado del solsticio de invierno. Lo que Preuss no vio es que los peyoteros no son los que ganan la lucha cósmica. Los no-iniciados no reconocen su estatus divino y los obligan a renunciar. Más bien anulan el poder del don por medio de intercambios recíprocos. Los peyoteros son su propio regalo, así como la luz, las semillas y el peyote en los cuales se han transformado, pero los comuneros que no tienen cargo les dan tamales y cigarros, no expresan gratitud, más bien se burlan de los peyoteros, llamándolos impostores.

Siguiendo a Pitrou (2015: 101), estas son las situaciones que merecen ser llamadas "cosmopolíticas", ya que el estatus ontológico de las cosas y seres involucrados está sujeto a tensiones y negociaciones (Neurath 2013: 66-73; 2015). En los ritos huicholes, la dinámica cosmopolítica se relaciona con la condensación ritual, donde hay una simultaneidad de relaciones de don libre e intercambio. Es decir, la tensión entre la transformación directa en deidades y las negociaciones mediadas con estos seres adquiere una gran importancia analítica. Hay cambios de énfasis, tanto durante un ritual específico, como en el ciclo ritual anual. Las fiestas tienden a comenzar con intercambios y poco a poco la transformación en dioses se vuelve más importante. Este proceso culmina en los sacrificios, pero después el énfasis vuelve a los intercambios. A nivel del ciclo anual de festividades, podemos decir que en la iniciación se busca la transformación, pero los no-iniciados se niegan a reconocer los seres iniciados como dioses (Neurath 2013; 2015).

4. Cazar o casarse: Namawita Neixa

Este ir y venir entre un énfasis en el don libre y las prácticas de intercambio reflejan las actitudes ambivalentes, que muchas veces parecen contradictorias, de los huicholes hacia los mestizos y no-indígenas (*teiwarixi*). Durante una gran parte del año predomina un discurso casi chovinista anti-mestizo: los no-indígenas son flojos y por flojos perdieron su costumbre, porque salieron del camino de la iniciación. De esta manera son una humanidad menos desarrollada, con escasa competencia social y carente de conocimiento chamánico. Pero hay una temporada del año en la que discurso no vale: se celebra una alianza con los mestizos y toda la devaluación de los mestizos se relativiza.

Se trata de la fiesta Namawita Neixa, la danza circular *mitote* de las coberturas de la lluvia (*neixa*: "danza" o "mitote", *wita(ri)*, "rain", *nama*, "coberturas", similar a *itarite*, "camas") que se celebra alrededor del Solsticio de verano y es la fiesta de la siembra. En este ritual, todo el cosmos luminoso creado por los peyoteros se colapsa. Lo que permanece es el inframundo *t+karipa*, pero éste ahora ya no es un mundo diferente, sino simplemente *el* mundo. Los peyoteros son sustituidos por el grupo de los Nia'ariwamete ("mensajeras" de la lluvia). En una danza salvaje apagan la fogata central. También destruyen la antorcha de ocote que es la conexión entre cielo y tierra (*hauri*). En el canto chamánico de la fiesta se narra que el Sol visita un lugar en el Norte, conocido como El Bernalejo, Durango. En este punto (solsticial) el Sol se vuelve flojo, descansa y es seducido sexualmente por una bella muchacha con cola de serpiente. Lo devora con su *vagina dentata*, y al ser devorado, el Sol se convierte en este mismo monstruo telúrico-femenino que es su *alter ego*. El monstruo de la tierra aparece en la fiesta Namawita Neixa como capitana de la danza, llamada Takutsi Nakawé. Es decir, se trata de la antigua diosa "Nuestra Abuela Carne Podrida" que, según el mito, fue la primera chamana-cantadora, derrocada (posteriormente) por déspota, borracha y caníbal.[8]

El retorno de Takutsi Nakawé es mucho más que un rito carnavalesco de inversión, porque en su reino, identificado con la temporada de las lluvias, vale una ley que es diferente a la ideología de sacrificio de la temporada seca. ¡Pero también es una ley! La ley de la vida oscura estipula que todos somos humanos no-iniciados. El rito que se celebra, entonces, es la "boda del maíz". El cazador fracasado se casa con las hijas de la diosa mestiza del inframundo. Esta alianza significa que los huicholes no desprecian a los no-indígenas como seres inferiores, flojos o tontos, sino que los reconoce como personas, casi como iguales, definitivamente como "socios" (Neurath 2011).

---

8 Ver las tablas de estambre de Tutukila Carrillo en Negrín (1975: 44-47).

La temporada de las lluvias es un "tiempo oscuro", una noche sin sol y, lo que es importante, también sin gobierno de la comunidad (Preuss 1998: 154-155; Schaefer 1989: 179-194; Geist 1991: 63-67; Neurath 2002). Por eso, se apaga la fogata que presentifica el Abuelo Fuego y se destruye la antorcha de ocote que el *axis mundi* o pilar que sostiene el cielo. Uno de los ritos preparatorios de Namawita Neixa consiste en que todos los encargados del *tukipa* entregan los bastones y los mecates para amarrar a delincuentes. Es decir que, a partir de ahora, durante casi tres meses, no se puede amarrar a nadie, ya que esto podría impedir el crecimiento de las milpas. Es hasta que termina la temporada de las lluvias, cuando las autoridades, nuevamente, reciben las insignias que les permiten ejercer el poder. Sobre todo, es este aspecto del rito que invita a interpretarlo en términos de un "rito de rebelión", una inversión. Sin, embargo, más que esto, la fiesta en cuestión es una fiesta del maíz en su forma de semilla. Incluso, como veremos más adelante, se trata del único día del año que se respetan plenamente los términos de la alianza entre los seres humanos y los dioses del maíz. Todos los demás días del año implican una transgresión de estas reglas.

La diosa del maíz es uno de los protagonistas de la fiesta. Para la elaboración de su representación ritual, cada uno de los encargados del *tukipa* trae un atado de mazorcas (*+ki*), que se guardan en los diferentes templos del centro ceremonial. Ahora se les junta para formar una gran escultura de la diosa del maíz, vestida con ropa femenina y adornada con collares de chaquira, morrales y diferentes tipos de plumas. La diosa del maíz se llama Tatei Niwetsika y tiene un papel protagónico durante toda la fiesta de la siembra, aunque durante la mayor parte del tiempo, la "muñeca" no hace otra cosa que estar sentada sobre el altar que se encuentra en el interior del gran templo *tuki* (Rodríguez Zariñán 2018).

Otro rito importante es la elaboración de un pan de "maíz crudo" molido, que se llama *tamiwari*. Los encargados de preparar este pan son cinco hombres que, durante la fiesta, aparecen también como danzantes y representantes de las diosas de la lluvia. Durante la preparación de este pan se puede observar que el gran templo circular *tuki* se transforma en una cocina, lo cual es un acontecimiento único en todo el ciclo anual. Cada uno de los danzantes trae una batea y grandes charolas y amasa el maíz molido mezclándolo con agua y azúcar. El pan de maíz crudo debe prepararse en un horno subterráneo que se tapa con brasas y cenizas calientes. Por eso, la masa se envuelve en hojas frescas de roble. La fogata central del *tuki* ahora servirá como horno.

En Namawita Neixa, las mujeres no trabajan. Al iniciar la fiesta, todos los hombres presentes, pero no las mujeres, se ponen a barrer el patio, lo que también es una situación excepcional y divertida, ya que barrer es una actividad eminentemente femenina. Cuando se entregan las escobas la gente grita "¡Ukaratsi wainu!", "¡Vénganse mujeres!", pero los que vienen a barrer son los hombres. Como escobas se usan ramas verdes de encino.

¿Por qué motivo, en esta ocasión, se preparan comidas de maíz no nixtamalizado? Me explicaron que así es como lo pide la diosa del maíz: "es que *ella quiere descansar* siquiera una vez al año"; por eso no quiere que se le ponga a cocer en el nixtamal. Por la misma razón, también las mujeres no trabajan. Las mujeres *son* maíz.

El cantador de Namawita Neixa es el *t+karimahana*, el "cantador de las lluvias" o "cantador de la oscuridad". Se sienta en el extremo occidental del *tuki*, mirando hacia el poniente donde está el altar y la figura de la diosa del maíz. La fiesta de la siembra es la única fiesta en la cual el cantador mira hacia el poniente, ya que el canto que se ejecuta es el único en el cual la salida del sol no tiene importancia. Ahora no se festeja el triunfo del sol sobre la oscuridad, sino todo lo contrario: "Se hace fiesta para el sol que se mete", el astro diurno que es devorado por la gran serpiente del mar.

En esta fiesta el cantador se identifica con Takutsi Nakawé, la vieja diosa de la fertilidad que es la suegra del primer cultivador, Watakame. El canto de la fiesta trata, entre otras cosas, sobre el origen del maíz y de la humanidad, cuando las cinco muchachas Niwetsika (las diosas del maíz) se casaron con Watakame que es, además, el único sobreviviente humano del diluvio. Según esta historia, quienes establecen esta relación son un ancestro cazador de "arriba", perteneciente a la categoría *tewari*, y una mujer de "abajo", la madre del maíz, que se asocia con *t+kari* y, por ende, también con lo mestizo o *teiwari*. Aunque nadie dudaría en afirmar que la madre del maíz sea una diosa ancestral de los huicholes, el maíz proviene, a final de cuentas, de un rancho ubicado en el fondo de una barranca, por no decir del inframundo. De esta manera, la humanidad y la etnicidad huichola (todo lo que implica la noción de *tewi*, "gente") se adquiere a través de una relación con las diosas del maíz que se concibe en términos de una alianza matrimonial.

Watakame, el cazador, frecuentemente se describe como un joven errante, solitario y hambriento, sin casa y sin parientes. A través de su matrimonio con una o varias mujeres del inframundo se convierte en persona (*tewi*) y adquiere un modo de vida sedentario y en familia.

De manera significativa, el primer cultivador es un cazador que no tiene éxito en la cacería: padece hambre y va en busca de un lugar donde le vendan comida. Llegando a un rancho ubicado en el fondo de una barranca, conoce el alimento maravilloso que son las tortillas de maíz, pero la dueña del rancho se niega a venderlas. Más bien, ofrece a sus hijas como esposas. Ser "gente [sedentaria]" (*tewi*) implica haber fracasado en la cacería y, por ende, en la iniciación; no convertirse en *tewari* o, en su caso, dejar de ser ancestro. Cada una de las esposas representa una variante de maíz cultivada en el Gran Nayar y, como producto de este "matrimonio", los niños recién nacidos se identifican con el maíz.[9]

Sin embargo, la historia no termina ahí. Pronto surge un conflicto entre parientes afines: la madre del cultivador no respeta a sus nueras, las regaña y las obliga a trabajar, rompiendo así el trato que se había establecido con la madre de las muchachas maíz (Preuss 1998: 161-163). En un mito inverso, el héroe se casa con una de las hijas de la dueña de las semillas, pero esta última no lo respeta y no aprecia los impresionantes resultados del trabajo del yerno, y en su lugar prefiere al flojo esposo acuático de su otra hija (Preuss 1912: 169-182; Medina 2006).[10]

La relación entre las familias de arriba y abajo es conflictiva y puede llevar al desastre: las nueras regañadas se mueren desangradas al ser obligadas a moler maíz, que son ellas mismas; la suegra regañona se muere de hambre (Preuss 1998: 162). El yerno discriminado decide regresar al cielo (de donde provenía), llevándose consigo el fuego (Preuss, 1912: 178; 1998: 209 y 345). Para recuperar el alimento o el calor del fuego se establece toda una serie de trabajos rituales para reconciliar a las familias antagónicas de arriba y de abajo, concretamente la fiesta Namawita Neixa, que es el único día del año que se respeta plenamente al acuerdo con la madre del maíz. El maíz y, por ende, las mujeres, no trabajan. Únicamente se consume alimento preparado a base de maíz no-nixtamalizado, las mujeres descansan y los hombres son los que tiene que barrer y preparar el alimento.

El discurso de este supuesto "rito de rebelión" plantea que Namawita Neixa sea el día "normal". Todas las demás fiestas son de "transgresión", porque no se respeta a la mujer, ni al maíz. Es decir, el "discurso nocturno" (Galinier y Monod Becquelin 2016) de Namawita Neixa tiene su coherencia propia y compite abiertamente con el discurso de las demás fiestas.

El rito más espectacular de la fiesta Namawita Neixa es una danza nocturna protagonizada, en primer lugar, por un grupo de cinco hombres danzantes que presentifican a las diosas madres mensajeras de la lluvia. Sus trajes son llamativos: cada danzante viste una capa compuesta de unas veinte cintas tejidas multicolores que ondean en el aire cuando se realizan brincos, giros u otros movimientos dancísticos. También los tocados son bastante suntuosos, ya que se componen de largas plumas azules de urraca y un par de varas ceremoniales con motitas rojas de estambre y plumas rojas de aguililla. Los guaraches de los danzantes tienen suelas de cuero que hacen resonar los brincos; en las manos portan sonajas y varas

9 Para poder vivir, deben perder algo de esta identificación y someterse a un rito de iniciación que lo separa de los elotes y demás primeros frutos (la fiesta Tatei Neixa).

10 En una versión mexicanera, el héroe clava su estaca en la vagina de su suegra, quien no es otra que la diosa de la tierra (Preuss 1998: 209).

con colas de venado. Los cinco desdoblamientos de la diosa de la lluvia, desde luego, corresponden a los cinco rumbos.

Aparte de las diosas de la lluvia aparece un danzante, también de sexo masculino, que presentifica a la diosa Takutsi Nakawé. Como se trata de la diosa más antigua, su traje consiste de una falda de estilo antiguo, tejida de lana de borrego. El personaje de Takutsi Nakawé también porta una máscara gris de madera con una peluca hecha de colas de chachalote (una especie de ardilla). Su corona es de plumas negras de gallo, y su collar se compone de caracoles y conchas marinos. En ambas manos tiene bastones de otate, y en la espalda porta a su hija, un pequeño niño que representa a Tatei Yurianaka, la diosa madre de la tierra.

Las ambigüedades de género refuerzan el carácter ambivalente de la diosa. Por sus facetas contradictorias, podemos decir que Takutsi es un ser ancestral paradigmático: es la abuela creadora que teje el mundo y hace crecer a las plantas con su bastón milagroso. Pero como gobernante y cantadora de los gigantes *hewiixi* fue déspota, abusiva y no cumplida. Cuando Takutsi se transforma en su aspecto de monstruo *nakawé* es un ser destructivo y perverso. Aunque su violenta muerte mítica es un acto creador, y que sirve para terminar con el "matriarcado mítico" y establecer el orden en el mundo, en la época de las lluvias se restablece el poder de esta antigua diosa que representa la fertilidad en su forma absoluta.

Después de la medianoche inicia una serie de cinco procesiones levógiras en el interior del *tuki*. Se "saca a bailar a la muñeca Niwetsika", es decir, un danzante porta la pesada figura de Niwetsika en su espalda. Lo acompañan dos músicos que tocan trompetas de caracol. Takutsi es la gran atracción de esta fase del ritual: divertida, a la vez siniestra, es un bufón que hace chistes, asusta a la gente y se ríe maliciosamente. A veces golpea a la gente con sus bastones. También queda claro que ella no trata muy bien a su esposo Na+r+ que trota atrás de ella, cabizbajo y agarrándose del vestido de su señora. A Tatei Yurianaka, la pequeña hija de Takutsi, permanentemente se le alimenta con pedazos de carne seca de venado. Si no se hace eso, el bebé podría transformarse en un monstruo y comerse a la gente.

Retomando a Preuss, podemos decir que en esta fiesta no existe separación alguna entre los aspectos lúdicos y lo serio. Hemos descrito los detalles de esta fiesta en otro lugar (Neurath 2002) y no queremos repetir la descripción completa. Para los huicholes, el momento más importe es cuando, en una escena bastante frazeriana, se deshace la figura de la diosa del maíz y se desgranan las mazorcas de su interior. Las semillas se distribuyen entre la gente presente, para que las usen en sus milpas. A la medianoche, la gente se dirige hacia un lugar ubicado hacia el norte del centro ceremonial, a un lado del arroyo que atraviesa al pueblo. Con los olotes y las hojas de las mazorcas se prepara una gran hoguera. Se dice que el humo de la fogata se transforma en nubes de lluvia.

Es decir, hay secuencias rituales que sí se relacionan con las fases de la agricultura del maíz, con la vida y muerte del grano, e incluso con los ciclos de la creación y destrucción del mundo. Pero también observamos cómo se expresan las ambivalencias relacionales. Hay dos leyes, una vale solamente el día de la fiesta de la siembra, la otra el resto del año, pero no está claro cuál es la más importante. Es una cuestión de perspectiva y esta cambia según la temporada del año. Considerando su dominio solar, la tradición huichola puede definirse como chamánica-visionaria. Se establece un mundo luminoso aparte, que solamente es de los wixaritari, pero no de los mestizos. Por otro lado, el ámbito nocturno de la tradición huichola es incluyente e implica involucrarse y entablar una relación constructiva con los mestizos.

5. La veintena Ochpaniztli

Elementos de Namawita Neixa son apropiados para una comparación con la veintena Ochpaniztli, una de las fiestas mexicas que siempre llamaron la atención a los mitólogos naturales (Frazer 1920). Los estudiosos batallan con las versiones contradictorias que ofrecen las fuentes del siglo XVI (Durán 1984; Sahagún 1950-1969; Códice Borbonicus 1991), así que puede ser un buen caso para examinar si el enfoque de la complejidad relacional o condensación ritual funciona para los ritos prehispánicos.

Preuss entendió la "Fiesta del barrer" o "Fiesta de las escobas" como la celebración mexica de la cosecha, en la cual Teteoinnan, la Madre de los dioses, tenía que ser rejuvenecida. Estudiosos más recientes de esta fiesta señalan que son en realidad varias las deidades femeninas que se celebraban en esta fiesta, pero para Preuss Chicome Coatl, Siete Serpiente, la diosa del maíz, y Teteo Innan, la Madre de los dioses o deidad de la tierra, eran aspectos de una misma deidad mannhardtiana: un "demonio de la vegetación" (Preuss 1904b: 129). En ceremonias previas, las diosas mexicas del maíz se personifican por niñas, pero en Ochpaniztli, la diosa se personificaba por una señora de entre 40 y 45 años, que portaba todos los atributos iconográficos de esta deidad. Al ser sacrificada la diosa volvía a nacer (Preuss 1904b: 136). Un sacerdote joven y fuerte la decapitó, y poniéndose su piel desollada con todo y su atuendo, asumía la identidad de la diosa (Preuss 1904b: 140). Rejuvenecido, él o más bien ella se paraba en frente de la Gran Pirámide del dios solar, abría sus piernas y se casaba con el dios. Inmediatamente nacía un joven dios, también identificado con el maíz.

Ahora bien, ha habido mucha discusión sobre los significados exactos de estos rituales, sobre todo en lo que se refiere al niño. Algunos afirman que Cinteotl es la deidad del maíz maduro, lo que probablemente sería un problema para la argumentación mitológica natural planteada por Preuss. Otros dicen que este niño era Itzacoliuhqui, Cuchillo curvo de obsidiana, el dios del frío o de la estrella de la Mañana (Olivier 2003: 117, Graulich 1999: 95; Brown 1984; DiCesare 2009).

Elementos de la página 30 del Códice Borbonicus (1991) ofrecen más argumentos a favor de la interpretación mitológica natural: una deidad femenina del maíz está parada en una plataforma piramidal, en medio de un grupo de 4 deidades de la lluvia o del maíz. Huastecos itifálicos bailan en el rededor. Según Preuss, se celebraba la fertilidad y la transgresión sexual. Cosechas abundantes son el resultado de las actividades sexuales frenéticas de los dioses (Preuss 1904b: 154-157).

Figura 10: Códice Borbónico 30.

Preuss subraya que muchas deidades femeninas mexicas se consideraban "prostitutas" o "pecadoras", como Tlazolteotl, la diosa de la basura (Preuss 1904b: 150). A Xochiquetzal la consideraba el equivalente mexica de la diosa romana Flora (Preuss 1904b: 154). También en los antiguos cultos germánicos "la gran prostituta" era la diosa de los granos (Mannhardt 1868: 22, citado en Preuss 1904b: 138). En el espíritu universalista de la Escuela de la Mitología Natural, lo que se plantea es un esquema donde los dioses y las diosas mexicas de la vegetación de asociaban con las transgresiones sexuales y se les consideraba enfermos de sífilis (Preuss 1904b: 157).

Graulich sigue a Preuss en algunos aspectos, pero insiste en que se trata de una celebración de la primavera. La fecha original de la fiesta era abril, pero en tiempos de la Conquista la fiesta se había movido hasta el mes europeo de septiembre (Graulich 1999: 63-69). Graulich comenta que en esta ceremonia se sacrificaba toda una serie de deidades femeninas: Toci-Teteo Innan, Chicomecoatl y Atlatona.

Ahora no es el momento para discutir si lo que Clendinnen llama las *fixed personae notions* de deidades mexicas es lo más adecuado (Clendinnen 1991: 248), lo que me interesa señalar es la ambigüedad relacional, atinadamente observada por Graulich, y relacionada con un episodio clave de la historia mítica de los mexicas. Cuando los mexicas eran aún vasallos del señor de Culhuacan, Huitzilopochtli, el líder de los mexicas, quiso casarse con una princesa culhua llamada Toci, "Nuestra Abuela"; pero durante la boda, los mexicas sacrificaban a la princesa y la desollaban –justo lo que hacían con la señora de la fiesta Ochpaniztli que personificaba a Toci o era su *ixiptla* (Durán 1984, 2: 39-43; Brown 1984: 195-209). Según la versión de Sahagún, el rey pasaba la noche con la mujer que iba a ser sacrificada como *ixiptla* de Toci (Sahagún 1988,1: 148), pero después la mujer fue sacrificada en frente de una estatua de la diosa del maíz Chicomecoatl ubicada en medio de un cuarto lleno de granos. Su carne fue ofrecida en un banquete (Graulich 1999: 91).

Graulich subraya que Toci era una deidad amada y odiada. Cuando pasaba el sacerdote vestido de su piel, algunos le escupían (Graulich 1999: 114). Además, es notable la ambigüedad de género que tenía el sacerdote vestido con la piel y la ropa de la mujer (Clendinnen 1991: 201), un detalle que recuerda a la ambigüedad de género del personificador de Takutsi entre los huicholes.

La personificadora o *ixiptla* de Chicomecoatl era una esclava de solamente 12 o 13 años. Como portaba una pluma verde, posiblemente, se identificaba con el maíz verde (Graulich 1999: 90), a pesar de que otras fuentes las describen más bien como diosa del maíz maduro (Dupey 2015; Mazzetto 2016; Ragot 2016). Según Durán, la escena de la diosa que se para enfrente del templo de Huitzilopochtli es la "esencia de la cermonia" (Durán 1984,1: 138) Preuss y Graulich

(1999: 90) explicaban este rito como una boda, aunque la evidencia es tal vez un poco pobre. Para Graulich era importante relacionar este ritual con la escena donde el rey engañaba y sacrificaba a Toci.

Como pocas fiestas mexicas, Ochpaniztli no permite reflexionar sobre la relación entre purificación y transgresión en el ritual. Las fuentes claramente enfatizan la purificación, por algo la fiesta se llama "barrer los caminos". Por otra parte, es claro que ocurrían tipos de transgresión sexual. Una traducción controversial de los *Primeros Memoriales* indica que la *ixiptla* de Chicomecoatl tenía relaciones sexuales con los jóvenes huastecos o jóvenes vestidos como huastecos. El término *macuexyecoaya*, mencionado en los *Primeros Memoriales,* ha sido traducido como "tener sexo con huastecos" (Graulich 1999: 114), pero también de traduce como "batalla de brazaletes (*maxcuextli*)" (Sullivan 1997: 63). Sea como sea, las transgresiones rituales no pueden ser simplemente una sobreinterpretación de Preuss y Graulich. En el Códice Borbonicus sí aparecen los huastecos itifálicos y Sahagún claramente dice que el rey pasaba la noche con una víctima femenina (Sahagún 1988,1: 148; Graulich 1999: 94).

Durante Ochpaniztli también se realizaba el sacrificio de flechamiento Tlacaliztli, un ritual de cacería, guerra y matrimonio. En el capítulo 4 retomaremos este ritual para compararlo con prácticas de los skidi-pawnee y otros grupos de la Cuenca del Mississsippi en lo que hoy es Estados Unidos. Veremos que también ahí la relación ambivalente con la alteridad son claves para entender los rituales. Pero primero nos ocupamos de las posibilidades de comparar las ambigüedades de la imagen ritual en Mesoamérica y el Suroeste de Estados Unidos.

III. El método de Warburg y los rituales pueblo sin o con serpientes

1. Los indios pueblo del Suroeste de Estados Unidos

Los indios pueblo del Suroeste de Estados Unidos se caracterizan por una pluralidad lingüística extraordinaria, a pesar de la cual muestran un grado notable de homogeneidad cultural regional. Lo que define la cultura de los indios pueblo es un conjunto de prácticas agrícolas (cultivo de maíz, muchas veces en condiciones precarias, en medio del desierto), aunadas a un patrón de asentamiento muy característico (casas de pisos múltiples agrupadas en espacios reducidos) y muchos aspectos de la religión (por ejemplo, el culto de los personajes conocidos como *kachinas*, que en hopi se llaman *katsinam*) (cfr. Parsons 1939; Eggan 1979). El hopi, hablado en varios pueblos distribuidos sobre tres mesetas, pertenece a la división septentrional de las lenguas yutonahuas; las lenguas tewa, tiwa y towa –que se hablan en diferentes pueblos del Valle del Río Grande– pertenecen al tronco lingüístico kiowa-tano, considerado remotamente emparentado con las yutonahuas; pero los idiomas zuñi –que se habla en Zuñi– y keres –hablado en Acoma, Laguna y algunos pueblos del Valle del Río Grande– son lenguas aisladas. Por otra parte, en términos de organización social, existe un contraste notable entre los pueblos occidentales (hopis y zuñis), donde prevalecen los grupos matrilineales de parentesco, y los pueblos del Valle del Río Grande, que cuentan con una organización de mitades (Eggan 1950).

Las *kivas* son los recintos ceremoniales subterráneos de los antiguos Anazasi y de los actuales indios pueblo. Igual que el *tuki* de los huicholes (Neurath 2002), las *kivas* son lugares subterráneos o semi-subterráneos que se identifican con el inframundo y con el lugar donde los antepasados salieron del mismo (Ortiz, 1996: 37).

Las *kivas* arqueológicas siempre son estructuras redondas, al igual que los *tukite*; las *kivas* modernas suelen tener una traza rectangular. Por otra parte, el *tepari*, el agujero ritual central del *tuki*, es una variante del *sipapu* [hopi: *sipaapuni*], el mítico *Place of Emergence* de los indios pueblo que, en su arquitectura ceremonial, también se representa como una hondonada o pozo en el centro de la *kiva* (Kelley, 1966: 98: 1974: 27; Furst, 1975; sobre los mitos de *emergence*, ver Geertz 1984).

En los ámbitos de la mitología y de la cosmovisión pueden encontrarse múltiples correspondencias entre las concepciones de los indígenas del Gran Nayar y los pueblo. Resulta estimulador retomar los estudios de Preuss, quien en un trabajo (1905b) comparó el simbolismo de la serpiente emplumada entre los antiguos mexicanos, los huicholes, los hopis, los zuñis y otros grupos norteamericanos. En otros escritos, analizó el culto a los dioses de la vegetación entre pueblos cultivadores de maíz, como son totonacos, mexicas, huicholes, coras, hopis, zuñis y mandan (Preuss 1929; 1930).

Autores más recientes, como Polly Schaafsma, Jane Young y Karl Taube, se han puesto metas más modestas, limitándose a Mesoamérica y el Suroeste. Estos últimos estudios han establecido una serie de correspondencias entre las concepciones de las deidades del maíz (Taube 2000), de la lluvia (Schaafsma 1999; 2001) y del viento (Taube 2001).

Aunque muchos de los autores recientes no incluyen a los coras y huicholes en sus comparaciones, queda claro que los grupos del Gran Nayar, en términos generales, comparten las mismas concepciones que sus parientes culturales en el sur y en el norte. Los atados sagrados de mazorcas, cuya posición central en el sistema simbólico mesoamericano fue rastreada por Taube desde los olmecas hasta los zuñi, existe también entre los coras (Coyle 2001; Valdovinos 2002; 2008a) y huicholes. Entre los últimos, se conocen como *niwetsika* y representan a las cinco diosas del maíz y a los miembros de los grupos parentales (Neurath 2002, Rodríguez Zariñán 2018).

Como fundamento del culto de los *kachinas* (*katsinam*) en el Suroeste, Schaafsma (1999) analizó el motivo de la transformación de los muertos en deidades de la lluvia, y postula un origen mesoamericano para este complejo simbólico-ritual. Entre los coras, esta misma idea también goza de plena vigencia (Coyle 2001; Valdovinos 2002), mientras que, entre los huicholes, encontramos un culto enfocado en cinco serpientes de la lluvia (Nia'ariwamete), diosas que corresponden a los rumbos del cosmos y el centro,[1] cuyo hermano es el dios del viento Tamatsi Eaka Teiwari (Nuestro Hermano Mayor, el Mestizo Viento).

1 Como una serpiente emplumada de nubes (*haiku*), Nia'ariwame también aparece durante la fiesta Hikuri Neixa (Neurath, 2002: 252).

Aquí, el paralelismo se traza mejor con el culto hopi a Palölöqangw, la serpiente de agua provocadora de tormentas (Preuss 1905b: 372; 1930: 64; Taube 2001: 117), y las serpientes cornudas Kolowisi de los zuñi, que corresponden a los cuatro colores y rumbos del cosmos (Bunzel 1932: 515; Tedlock 1979: 499).

En contraste con Schaafsma (2001), quien destaca las semejanzas, Malotki (2002: 5-7) enfatiza algunas diferencias entre la serpiente emplumada mesoamericana y las serpientes cornudas de agua de los hopis y otros grupos pueblo. Aunque no duda en la existencia de un parentesco cultural entre esta "familia de dioses ofidios", destaca "el lado oscuro", es decir, los aspectos destructivos de la Palölöqangw hopi. Creo que ya quedó claro que, como antropólogos americanistas, no llegamos muy lejos si tratamos de separar las deidades positivas de las destructivas, porque prácticamente todos los seres ancestrales de la alteridad son de carácter ambivalente.

Al igual que en el Gran Nayar, las religiones de los indios pueblo tienen la tendencia de equiparar a las personas iniciadas con los ancestros deificados (cfr. Ortiz 1969). En ambas regiones, los ancestros deificados son aquellos que caminaron en la tierra cuando ésta todavía no se había secado o solidificado, cuando la tierra todavía estaba "verde" (Ortiz 1969: 13) y no se había terminado de formar. En consecuencia, los dioses tewa se conocen como "los que nunca se habían convertido en comida seca", y los seres humanos iniciados, "los que ya no son comida seca" (Ortiz 1969: 16). Entre los zuñis, los dioses se conocen con el término "gente cruda", a diferencia de la "gente cocida" o "gente de la luz del día", que son los seres humanos comunes (Bunzel 1932: 483, 488; Tedlock 1979: 499).

Por otra parte, tanto en el Gran Nayar como en el Suroeste el análisis de los panteones divinos no puede desligarse de la temática de la representación ritual de las deidades. Así, aunque no resulta difícil encontrar correspondencias entre los grupos rituales que operan en los centros ceremoniales del Gran Nayar y del Suroeste norteamericano, la lógica de la transformación estructural implica que es improcedente buscar equivalentes inequívocos para cada uno de los grupos en cuestión.

Los *xukuri'+kate* (jicareros) huicholes representan a las diferentes deidades ancestrales del panteón huichol y se encargan de los diferentes templos del centro ceremonial *tukipa*, los mismos que, muchas veces, efectivamente sirven como sus moradas. Cada uno de ellos lleva la jícara sagrada que corresponde a la divinidad que le toca y, durante los años que dura el cargo, usa el nombre de la deidad como uno propio. Viviendo en el centro ceremonial y, sobre todo, durante las fiestas, ceremonias y peregrinaciones, los jicareros *son* los habitantes originales del *tukipa*, los antepasados deificados de la comunidad. En ciertos contextos, los integrantes del grupo de jicareros, en su conjunto, personifican a los ancestros convertidos en los dioses de la lluvia que visitan a los seres humanos durante la temporada de cultivo. Exactamente lo mismo sucede con los jinetes de Santiago que aparecen en algunas fiestas coras (Coyle 2001) y con los danzantes enmascarados *kachinas* que existen entre prácticamente todos los pueblos (cfr. Eggan 1950: 91). Cada uno de estos últimos igualmente representa a un personaje mitológico particular (Fewkes 1903). Pero también los urraqueros (*be'eme*) de los coras (Ramírez 2003), los danzantes *wainarori* de los huicholes y los sacerdotes *u'wanam·i* de los zuñis (Bunzel 1932: 513) personifican a la lluvia.

Figura 11: kachinas, tomado de Fewkes 1903.

Los *xumuabikari,* "borrados", o judíos de la Semana Santa cora personifican demonios de la fertilidad que bajan del monte y/o salen del inframundo. Una supuesta asociación astral de estos personajes (Preuss 1998: 133-136) no ha sido comprobada por estudios recientes. Sin embargo, por sus transgresiones cómicas y sexuales pueden equipararse con grupos como los payasos *koyemshi* de los zuñis[2]

2 Ver Parsons y Beals (1934) y Bonfiglioli (1995) para la comparación entre los payasos sagrados de los pueblos y diferentes personajes y grupos rituales de los taracahitas en el Noroeste de México (yaquis, mayos, tarahumara).

(Preuss 1904b: 131; 1930: 60; Bunzel, 1932: 521). Por sus flautas y su asociación con el calor, tienen características en común con la sociedad hopi de los *len* (flautas) (Titiev, 1944: 149, Malotki 2000: 24), y por su actuación ritual de naturaleza explícitamente sexual, relacionada con la propiciación de fertilidad, pueden compararse con los *kachinas kookopölö* y *mastop*, o la sociedad *taw* de los hopis (Malotki 2000: 34-43; Titiev 1944: 111, 132, 138).

No podemos detallar todas las similitudes que existen en el ritualismo de los pueblos y de los coras o huicholes. Debe mencionarse, sin embargo, la importancia, en ambas regiones, del complejo simbólico que gira alrededor de la elaboración y ofrenda de flechas o varas ceremoniales (*prayer sticks*) y objetos similares. En el Gran Nayar, las flechas y jícaras sagradas se guardan en los adoratorios y centros ceremoniales o se depositan en los diferentes lugares de culto en el paisaje. Se trata de réplicas de los antepasados deificados y, a la vez, son los órganos o herramientas que estos antepasados necesitan para hacer funcionar el cosmos. El alimento de los dioses es la sangre de los animales sacrificados que se unta a estos objetos antes de ofrendarlos en un lugar sagrado (Neurath 2002).

En el Suroeste, las ofrendas principales son varas emplumadas y pinole, que representan la ropa y la comida que se proporciona a los dioses (Bunzel 1932: 499; Tedlock 1997: 501). Solo los hombres elaboran las varas, pero también las mujeres las ofrendan. De manera correspondiente, ambos sexos ofrendan pinole, pero solo las mujeres lo preparan. Esta dicotomía de las ofrendas puede compararse con lo observado entre los huicholes donde los hombres elaboran las flechas votivas y las mujeres, las jícaras (Kindl 2003).

Entre las jícaras sagradas que no se ofrendan, sino que se guardan en el centro ceremonial, se encuentran las que fungen como insignias de los encargados del *tukipa*. Estos objetos se consideran idénticos a los que fueron traídos por los antepasados, desde su salida del inframundo. Nuevamente nos encontramos con una idea que, entre los indios pueblo, está muy desarrollada. Los hopis y zuñis están convencidos de que todos los objetos rituales importantes, máscaras, parafernalia para armar altares, jícaras y atados de mazorcas, tienen sus orígenes en los tiempos míticos primordiales. Los mitos de migración narran detalladamente cómo los diferentes "clanes" o grupos parentales llegaron a conseguir estos objetos (Fewkes 1900). Su relevancia es de naturaleza religiosa y política. Como explica Armin Geertz, para un grupo parental hopi, poseer objetos y conocimientos sagrados importantes se traduce directamente en poder político. "Los objetos rituales son altamente significativos porque tanto el poder religioso como el secular se fundamenta casi completamente en la posesión y en el uso de tales objetos [...]. En la vida social hopi, el liderazgo se fundamenta en el control de conocimiento ritual, no tanto en factores económicos...". (Geertz 1994: 27).

2. Warburg, Preuss y la antropología pueblo

La bibliografía etnológica sobre los pueblo y el Suroeste de Estados Unidos es abundante, pero hay un escrito breve que goza de una especial celebridad, tanto por la excentricidad de su autor, como por la originalidad de algunos planteamientos. Conocida como *Schlangenritual*, "Imágenes sobre la vida de los Indios Pueblo en Norteamérica" o, simplemente, conferencia de Kreuzlingen, la conferencia del historiador de arte alemán Aby Warburg sobre el ritual hopi de la serpiente ha sido una gran inspiración para la antropología del arte. El escrito es admirado por expandir los límites rígidos de una disciplina y por dejar vislumbrar lo que sería una auténtica ciencia de la cultura. Sin embargo, es importante saber que estos manuscritos jamás estuvieron pensados para publicarse. La versión más conocida es una plática impartida a los doctores y pacientes de la clínica psiquiátrica donde Warburg se encontraba internado, y hay que reconocer que éste, su texto más conocido, no es, precisamente su mejor trabajo, ni mucho menos refleja toda la sofisticación de los enfoques que el célebre historiador del arte desarrolló en sus estudios sobre el arte del Renacimiento europeo (Warburg 2010: 495-600; Castelli Guidi y Mann, eds., 1999; Freedberg 2004: 569-611; 2005: 3-25). También ha habido problemas serios de edición. En la más reciente edición de las obras de Aby Warburg, *Werke in einem Band* (Suhrkamp, Frankfurt, 2010), se incluyeron los manuscritos originales de tres diferentes versiones de esta conferencia, ninguna corresponde a la versión que se publicó originalmente y que fue traducida a muchas lenguas (por ejemplo, Warburg 2004).

No negamos que hay algunas genialidades contenidas en la conferencia de Kreuzlingen, ni tampoco la seriedad de las investigaciones antropológicas de Warburg, pero constatamos que, aparte de una obsesión exagerada por el culto a las serpientes, se pueden rastrear influencias problemáticas de las teorías y enfoques entonces en boga entre antropólogos alemanes y estadounidenses. Warburg ofrece unos matices interesantes, pero normalmente no supera radicalmente la antropología de su época. Pero sí hay pistas que, eventualmente, pueden seguirse para desarrollar el enfoque warburgiano en el campo de la antropología del ritual y del arte.

El problema con *Schlangenritual* es que, en la etnología del Suroeste de Estados Unidos, igual que en la antropología americanista alemana, dominaban interpretaciones basadas en la idea que el ritual escenificaba mitos que, por su parte, reflejaban los ciclos de la naturaleza. Esta es la antropología –no muy sofisticada– que Warburg conoció primero durante su viaje a Estados Unidos, después en Alemania, y en términos generales aceptó. Queda pendiente la tarea de retornar a la etnografía de hopis, zunis y otros grupos del Suroeste de Estados

Unidos para plantear una antropología enfocada en la sorprendente complejidad ontológica y relacional de los rituales pueblo, en las ambigüedades de las representaciones y escenificaciones, así como en las interacciones siempre ambivalentes con los seres divinos o "meta-humanos". Esto sería una antropología del arte auténticamente warburgiana.

Es ampliamente conocido que el historiador de arte Aby Warburg tuvo un gran interés en etnología y antropología cultural. Muchos de sus proyectos emanaron de la visión de fundar un nuevo tipo de ciencia de la cultura (*Kulturwissenschaft*). También es muy conocido que Warburg tuvo una cierta experiencia etnográfica. No quiero repetir todo lo que se ha escrito sobre el viaje a Norteamérica y la región Pueblo que Warburg describe en su famosa conferencia de Kreuzlingen, que en su forma publicada se conoce como *Schlangenritual*. Muchos autores se admiran del espíritu aventurero del joven historiador del arte, mientras que algunos han dicho que Warburg hacía más o menos lo mismo que otros turistas de la época que viajaban al Suroeste de Estados Unidos (Freedberg 2004; 2005). Incluso el presidente Theodore Roosevelt viajaba a las románticas mesetas con los pueblos hopi para presenciar el espectáculo de la danza de la serpiente.

Pero no hay duda de que Warburg haya tomado en serio sus estudios antropológicos. En Estados Unidos conoció varios de los investigadores de la Smithsonian Institution. Después de su regreso estaba en contacto e intercambiaba cartas con mexicanistas importantes, en especial con Seler. También se sabe que planeaba un viaje de estudio a México que nunca realizó (Báez 2017; Bredekamp 2019).

A parte de los americanistas de la mitología natural, hay otra corriente de la antropología que fue importante para Warburg: Usener y otros autores de la época, que podemos llamar los primeros teóricos de la primacía del ritual. Durante sus años de estudiante, Aby Warburg fue alumno de Usener en la Universidad de Bonn, donde cursó el semestre de invierno de 1886-87 (Gombrich 1992 [1970]): 45-48; Kany 1987; Schlesier 1994; Wessels 2003). Ya hablamos de la teoría del *drómenon* que era un planteamiento sobre la acción ritual como un acontecimiento real y efectivo, es decir, de carácter no-mediado o no-representativo. Por otra parte, vimos en el caso de Preuss que la mitología natural y la teoría de *drómenon* se combinaban.

Este tipo de eclecticismo puede ser una clave interesante para entender las ideas antropológicas de Warburg. Por lo menos se puede demostrar que el pensamiento de Preuss muestra ambigüedades teóricas similares a lo que podemos extrapolar de los escritos de Warburg. Tanto Preuss como Warburg se interesaban por la cuestión nietzscheana del origen del teatro. Warburg no cita mucho a Preuss, pero es probable que Warburg conociera al antropólogo mexicanista a través de sus lecturas de Usener, autor que muchas veces se apoya en el trabajo de Preuss. En la conferencia de Kreuzlingen Warburg usa un texto de Preuss, *El origen de la religión y del arte* (Preuss 1904-1905), que fue reseñado detalladamente por Usener en uno de sus escritos más famosos, *Die Heilige Handlung* (Usener 1904a).

Otra razón por la cual podemos estar casi seguros de que Warburg leyó *Der Ursprung der Religion und Kunst* es que en este texto se habla extensivamente de la danza de la serpiente hopi, que interpreta en términos de ritos mágicos por analogía y propiciatorios de lluvia (Preuss 1904-1905, cap. V, pp. 390-391; cap. VII, pp. 348-349). Preuss parte de un análisis de las danzas que imitan animales y donde los participantes se visten con pieles, plumas u otros elementos e imitan los movimientos de la especie en cuestión. Devorar –explica Preuss– es simplemente otra posibilidad de establecer una relación de identificación con animales, o como Preuss, "incorporar su fuerza mágica". En los hopis únicamente existe una intención de practicar la omofagia, pero los aztecas realmente deglutieron animales vivos, en especial serpientes y ranas, durante la fiesta Atamalqualiztli.

Sabemos que *Der Ursprung der Religion und Kunst* fue uno de los textos más leídos de Preuss, y que resultó de gran interés para los intelectuales cercanos a los artistas de la *Décadence* y de las vanguardias de principios del siglo XX. Marcel Mauss publicó una reseña elogiosa en *L'Année Sociologique* en la que resalta la propuesta según la cual un aspecto importante de la magia de las palabras proviene del efecto que tienen los soplos, respiraciones y ritmos (Mauss 1974 [1904-1905]): 215 y 242-243). Asimismo, algunos aspectos del ensayo de Preuss son retomados en las obras clásicas de Arnold van Gennep sobre *Los ritos de paso* (Van Gennep 1981 [1909]): 16, 17 y 86) y de Émile Durkheim sobre *Las formas elementales de la vida religiosa* (Durkheim 1993 [1912]): 376). En el París de finales de la década de 1930 la teoría de Preuss acerca de lo orificios y las excreciones corporales como fuentes mágicas sirvió de inspiración al grupo del *Collège de sociologie*, especialmente a Georges Bataille (1982 [1938]): 137-151) y Roger Caillois (1984 [1939]). Otro autor prominente influenciado por los planteamientos de Preuss fue el filólogo clásico británico Gilbert Murray. En especial, este último retomó su concepto antievolucionista de *Urdummheit*, que define a la estupidez como el rasgo que marca la diferencia entre el animal y el *Homo sapiens*; para ser exacto, la posibilidad de equivocarse y desarrollar ideas falsas que tiene el ser humano al dejar de ser sometido al instinto (Preuss 1904-1905: 419; Murray 1912: 16; Friedrich Rudolf Lehmann 1952: 131-145).

Aunque la influencia de la *Naturmythologischen Schule* es aún muy evidente, varios de los ensayos de Preuss de esta época contienen ideas muy originales, y está claro que por lo menos algunos fueron leídos por Warburg. Como vimos en el capítulo anterior, en varios de estos textos Preuss habla de Ochpaniztli, la fiesta mexica de la cosecha, como una celebración del rejuvenecimiento de la diosa del maíz y madre de los dioses, misma que interpretaba como un demonio mannhardtiano de la vegetación. El ritual del desollamiento es un argumento central. Warburg retoma este análisis en su conferencia de Kreuzlingen cuando habla del *Hineinschlüpfen* y del *magischen Einschlüpfen* (Warburg 2010: 539 y 546), enfatizando el acto de ponerse la piel y la ropa de la víctima.

También Preuss extendió su análisis hacia el norte, pero lo que más le interesó fueron los demonios itifálicos, similares a los personajes de los misterios griegos. En este sentido llamó mucho su atención la imagen que aparece en el interior de un platillo policromo de barro, albergado en el Museo Etnológico de Berlín, que había sido excavado apenas unos años antes en las ruinas del pueblo hopi de Awatobi (Museum für Ethnologie, Berlín, Kat.- Nr. IV, B. 3252. Colección Keam, 1902).

Figura 12: plato de Awatobi con una danza similar a un ritual zuni. Tomado de Preuss 1904b: 131, fig. 2. (Dibujo de Nora Rodríguez Zariñán).

La pieza muestra una escena ritual compuesta en su parte central por una procesión de 12 danzantes fálicos, que avanzan en fila sujetando por la cadera al hombre de adelante, mientras que el puntero eleva su gran falo; en el contorno se aprecia una diosa del maíz flanqueada por dos personajes itifálicos, que vierten un líquido sobre las espaldas de los danzantes. Esta escena realista no carece de humor, pues no sólo se detallan el escroto y el vello púbico, y se destacan los glandes rojos del resto de la escena en negro, sino que el artista prolonga la cabeza del último danzante presentándola como otro falo erecto más (Preuss 1904b: 129-130). Preuss relaciona esta representación con las actuaciones de los *koyemshi* o "cabezas de lodo" de los zunis, caracterizadas por la misma crudeza y naturaleza cómica que define al *mimus* grecolatino (1904b: 173).

Es interesante que en unas anotaciones no incluidas en la publicación Warburg se refiera a la cerámica con los danzantes fálicos como "zotig" y "nicht unbedenklich", expresiones que podemos traducir como "vulgar" y "no inofensivo". Al mismo tiempo, expresa la sospecha de que ésta pieza sea falsa ("nicht echt"). ¿Será la influencia de los púdicos investigadores norteamericanos, como Heinrich Voth, que consideraban que los ritos de los bufones no eran algo tan auténtico como otras ceremonias pueblo? ¿O acaso contaba con información confidencial de Keam, quien fue la persona que coleccionó y vendió la pieza al museo? (Preuss 1904b; Warburg 2010: 563-564, notas LVII y LXVII).

Todo indica que Warburg leyó justo aquellos trabajos que Preuss escribió cuando empezó a distanciarse de Seler y de la mitología natural y se acercó a Usener, combinando ambos enfoques. En este sentido, *Schlangenritual* puede releerse como un texto que expresa la tensión entre la antropología de la Escuela de Usener y de los investigadores de la Smithsonian Institution, que igual que la mayoría de los americanistas alemanes usaban los enfoques de la Escuela de la Mitología Natural.

Usener y Preuss hablaron de *drómenon*, mientras que Warburg usó el término *Wirklichkeitsbild* ("imagen real"), pero en oposición a símbolos o jeroglifos, no necesariamente en el sentido de la "imagen verdadera" de Belting (2006). Pero las tensiones entre diferentes tipos de imágenes rituales, las representaciones mitológicas y "presentificaciones" explicadas como *drómenon* eran algo que caracterizaba el debate de la época y se ve reflejado en los escritos de Preuss.

En la conferencia de Kreuzlingen, Warburg cita evidencia que apunta en ambas direcciones. Hay pasajes sumamente mannhardtianos o frazerianos, por ejemplo, cuando Warburg explica que "a través de la transformación de su persona, el indio quiere a la fuerza lograr obtener algo mágicamente de la naturaleza" (*will durch Verwandlung [...] etwas von der Natur magisch erzwingen*) (Warburg 2010: 539). Ritos aztecas se interpretan, siguiendo a Preuss, como "un intento para lograr un fértil año de maíz" (*Versuch, ein fruchtbares Kornjahr zu erhalten*)

(Warburg 2010: 546), las serpientes de los hopis son *Blitzerreger oder Wassererzeuger* ("provocadoras de rayos o productoras de agua"), lanzarlas es un acto de producir lluvia (Warburg 2010: 548). También el acto de esparcir agua sobre las máscaras *kachina*, así como la decoración con líneas y puntos es interpretado como propiciatorio de lluvia (Warburg 2010: 543-544; Michaud 2004: 200).

Hay, entonces, muchas expresiones que plantean una manipulación mágica por analogía como un intento de controlar procesos de la naturaleza. Pero hay otros pasajes que expresan ideas que provienen tal vez de la teoría del ritual de Usener y Preuss; por ejemplo, cuando se explica que las serpientes sean *Mitspieler im Kult* ("participantes en el culto") (Warburg 2010: 548). Lo que prevalece en Warburg es una cierta ambigüedad.

En el caso de las *katsinam* se ha reflexionado mucho sobre el hecho de que los no-iniciados los consideren dioses, mientras que los iniciados se enteran que se trata de simples personas disfrazadas (Warburg 2010: 541; Eggan 1950: 91).[3] Pero el asunto es un poco más complejo, porque probablemente se ha sobreinterpretado el contraste entre representación y presencia real de divinidades. Joyce Cheng (2010) destaca cómo Warburg se acercó a la ambigüedad ontológica de las escenificaciones rituales: "Los indígenas que participan de la danza enmascarados de los kachina no representan a los dioses, [...] pero tampoco son simplemente sacerdotes [que tratan con los dioses]." No practican una "metamorfosis animal", ni hacen un "intento mágico directo [unmittelbaren] para unirse con la naturaleza por vía del mundo animal". Ninguno de estos enfoques describe adecuadamente el carácter complejo del culto kachina, que consiste en "escenificar un panteón de seres intermediarios que no son deidades, pero tampoco objetos de la naturaleza o animales" (mi traducción).

En la bibliografía etnográfica encontramos evidencia que apunta a que la gente realmente pensaba que los danzantes *katsinam* eran dioses. El Sun Chief Don C. Talayesva (1970), un hopi que publicó su autobiografía, describe en sus memorias un episodio ilustrativo para el carácter de *presentificación* de estos personajes. Cuando era un niño travieso, pero ya no muy pequeño, vio de repente sin querer cómo un danzante se quitaba la máscara en forma de casco. Estaba sorprendido que los *katsinam* se podían quitar la cabeza. No le pasaba por la cabeza pensar que los danzantes eran unos hombres disfrazados.

Por otra parte, se ha documentado cómo los muchachos que representan los *katsinam* y aparecen enmascarados en el pueblo llevan regalos a los niños y también a las muchachas que les gustan y con quienes se quieren casar. Este es el origen de

3 En un ensayo famoso, Claude Lévi-Strauss comparó esta situación con la experiencia de los niños euroamericanos cuando se dan cuenta de que Santa Claus no existe (Lévi-Strauss 1952).

las famosas muñecas *kachina*, representaciones en miniatura de los danzantes, que se han convertido en una artesanía popular. Las jóvenes mujeres en teoría no saben que los *katsinam* son muchachos disfrazados, pero bien saben quién les da el regalo...

El asunto no es tan fácil. En su interés por la complejidad de la simbolización ritual, Warburg distingue un *kosmologisch-tektonisches Element* y un *mimisches Element* que supuestamente corresponden a los rituales de los agricultores y de los cazadores (Warburg 2010: 588). En otras palabras, los indios pueblo estaban en una transición. Como dice Freedberg, "Los pueblo eran gente que aún sentían que podían influenciar a las fuerzas de la naturaleza, o por vía del simbolismo (danzando con serpientes que simbolizan al relámpago como el dador de la lluvia) o directamente (agarrando con sus propias manos a las serpientes, que son las personificadoras de estas fuerzas demoníacas)". Históricamente, "El hombre tenía que elegir entre el contacto originario con la causalidad natural directa, por un lado, y la necesidad de mantener una cierta distancia por medio de lo simbólico, por la otra" (Freedberg 2004: 4). En este contexto, la danza de la serpiente es interpretada, más que nada, como un ritual de identificación. "El indígena, explica Warburg, toma la serpiente en su boca para lograr una unión entre la serpiente y el personaje enmascarado". Pero esto no es toda la verdad, porque, "según Warburg, esta danza tiene una función dual, "como un acto de magia primitiva y una búsqueda de ilustración" (Freedberg 2004: 7; mis traducciones).

Warburg observa una simultaneidad sorprendente de solemnidad y elementos lúdicos, cuando habla de la *Doppelheit von tragischem Chor und Satyrspiel* ("la duplicidad de coro trágico y sátira"). (Warburg 2010: 546). Finalmente, hay un pasaje muy comentado donde Warburg habla de fases intermedias entre "imagen real" y signo –*Zwischenstufe zwischen Wirklichkeitsbild und Zeichen* (Warburg 2010: 531). Puede ser que Joyce Cheng (2010) tenga razón cuando afirma que André Breton, en su viaje a los hopis, entendió mucho mejor lo que se puede llamar "symbiotic intertwinement of different registers in ritual action",[4] pero algunos comentaristas de Warburg se enfocan en su sensibilidad por la ambigüedad y en su interés en la las "formas intermedias" (Warburg 2010: 36).

Bredekamp (2019: 89, 99-100) destaca que a Warburg, durante toda su vida, el tema que más le interesaba era la necesidad de establecer en el arte una distancia simbólica para controlar la violencia y para lograr un equilibrio siempre frágil entre la magia y el pensamiento racional. Pero de estas ideas de Warburg también puede derivarse una teoría sobre la tensión entre presentificación y representación. Al estudiar la relación entre ritual y arte nos damos cuenta de que

4 André Breton, *Carnet du voyage chez les indiens Hopi. Notes sur les visites dans les réserves indiennes.* http://www.andrebreton.fr/work/56600100491520

Figura 13: Danza hopi de la serpiente, tomado de una Native American vintage postcard. (Dibujo de Nora Rodríguez Zariñán).

se trata de ámbitos de la praxis cultural que se empalman. Únicamente pueden separarse de manera analítica. Más bien, nos damos cuenta de que lo que existe son formas intermedias entre vida, ritual y arte o entre signo e "imagen real". Lo que estudiamos son formas de expresión ubicadas entre polos que no existen de forma absoluta. Pero lo más interesante es, sin duda, la tensión entre los polos.

Según Michaud, esta experiencia lo influyó para analizar a los *Intermezzi* o Intermedios, formas tempranas de la ópera, del Renacimiento y Manierismo florentino, espectáculos de teatro y música que recreaban rituales paganos donde confluían la vida real y el arte dramático (Michaud 1999: 53-63; 2004; ver también Careri 2003: 41-76). En este estudio Warburg nos da una idea muy clara de cómo trabajar la complejidad ritual y de la simbolización en un evento que se ubica entre el ritual, la vida y el arte.

3. Palölöqangw

A principios de 1927, Preuss recibe una invitación para participar en el ciclo de conferencias sobre el drama que Aby Warburg y Fritz Saxl organizaban en la Biblioteca Warburg. La conferencia fue todo un éxito. Saxl y Warburg intercambiaron impresiones al respecto en el *Tagebuch* de la biblioteca. Saxl escribe "Los korah [*sic*] representan el tipo principal del pensamiento primitivo astral: el lugar del sacrificio = mapa del cosmos. La estrella de la mañana baja con el maíz del cielo a la tierra, éste es sacrificado aquí y regresa al cielo como la estrella de la tarde". Por otra parte, la escueta respuesta de Warburg deja ver que la intervención de Preuss fue más que aplaudida: "¡Cuánta riqueza en la ponencia de Preuss!" (Warburg 2001: 156).

Fritz Saxl escribe en su artículo "La creencia en las estrellas en el siglo XII": "Si tuviera que ofrecerles un esquema breve de los orígenes, difusión y vicisitudes de la astrología, tendría que empezar investigando los períodos más primitivos de la historia antigua mejicana. Porque pueden encontrarse rastros de una religión astral en tierra mejicana, y todavía existen en los ritos de los nayaritas de hoy, que en parte han heredado los antiguos cultos. En las ceremonias de su sacrificio del maíz aparece una madre llevando a un niño cogido de la mano. Figura que el niño vive en el cielo y representa a la estrella del alba, de la cual depende el éxito o el fracaso de la cosecha de maíz. Estas ideas son los núcleos primitivos de lo que llamamos astrología, la creencia en que el curso de una sola estrella condiciona la vida humana" (Saxl 1989 [1929-30]): 82).[5]

La conferencia de Preuss se publicó en 1930 en el volumen siete de la serie *Vorträge der Bibliothek Warburg* bajo el título *Der Unterbau des Dramas* (Preuss 1930). El tema central del trabajo no fue la religión astral, sino el origen del teatro. Retomando ideas que no había tratado desde su ensayo sobre los cantos dialogales del *Rigveda* y sus estudios sobre los demonios fálicos, el origen demoníaco del drama griego y el origen de la religión y del arte (Preuss 1904b, 1904-1905, 1906b, 1909), rastrea nuevamente el desarrollo de la representación mímica a partir de las prácticas mágicas. Enfatiza cómo el placer y la alegría por la imitación desarrollan su propia dinámica y dan lugar a formas del juego dramático logrando la paulatina independencia del teatro con respecto a la religión. A diferencia de la tragedia, en el drama primitivo predomina la alegría por la existencia, aunque el irremediable destino de los espíritus de la naturaleza sea nacer, crecer y morir.

Consciente del interés de Warburg por el simbolismo de la serpiente y su relación con el rayo, Preuss ofreció abundante información acerca de este tema. Por ejemplo, compara la serpiente emplumada de los indios hopis y zunis con la concepción cora sobre la serpiente como personificación del agua nocturna y del inframundo. También habla de las serpientes que aparecen en la fiesta Powamu que los hopis celebran en febrero. Estas serpientes, cuyo nombre se escribe ahora correctamente

5 El ejemplo del mitote cora también aparece en un trabajo de Rudolf Wittkower sobre la iconografía de "El águila y la serpiente", donde se demuestra que el antiguo simbolismo de la lucha cósmica, escenificado en los mitotes coras, pervive en el glifo de Tenochtitlán y en el Escudo Nacional Mexicano (Wittkower 1938-39: 304-305).

Palölöqangw o Paalölöqangw (Malotki 2002),[6] son realmente *Blitzschlangen.* En una ceremonia llena de "efectos especiales", cuatro serpientes emergen de una especie de mampara con aperturas con dibujos de discos solares donde, una vez abiertos, las serpientes cosechan una pequeña milpa que se ha preparado en el altar. Antes de la fiesta se colocan unas plantas de maíz en el piso de la kiva, así dan la impresión de haber crecido ahí (Fewkes y Stephens 1893: 269-284; Voth 1901: 64-158).

Figura 14: Palölöqangw. Tomado de Titiev 1944. (Dibujo de Nora Rodríguez Zariñán).

Titiev nos ofrece la siguiente descripción: "De repente, las serpientes emergen desde las aperturas secretas en la pantalla y empiezan a moverse alrededor retorciéndose, 'como si estuvieran viendo y examinando su casa'. Gradualmente, las Palulokongs emergen completas, con mucha fuerza y un movimiento temblante que, según dicen, significa abrazos y danzas. Después un personificador ritual vestido como Hahai', la madre de todas las kachinas, ofrece un plato lleno de la harina sagrada de maíz. Cada una de las serpientes se acerca y mete su cabeza al plato como si estuviera comiendo. 'Ella' [Hahai'] ofrece sus senos a cada una de las figuras simulando el acto de dar el pecho. Finalmente, cuando la serie de

6 En la literatura aparecen muchas maneras de escribir este nombre hopi. Fewkes usó la ortografía *Pá-Lü-Lü-Koñ-Ti*, Titiev *Palulokong* (Fewkes y Stephens 1893: 269-284; Titiev 1944).

cantos llega a su momento culminante, las serpientes se mueven hacia adelante y tumban a las plantes de maíz" (Titiev 1944: 123; mi traducción).

Se ha comentado sobre aspectos que Warburg no vio o no tomó en cuenta durante su viaje a Nuevo México y Arizona (Freedberg 2004) y, de cierta manera, me parece insólito que no haya tenido más interés en Powamu.

Ya mencionamos que a veces confiaba demasiado en la *Naturmythologie*, que ya entonces se criticaba. En este sentido, Seler y los antropólogos norteamericanos fueron, tal vez, una mala influencia. Preuss le ayudó, sin duda, a reconocer algunos de estos problemas.

Sea como fuera, hace falta realizar un estudio sobre Powamu, la danza hopi de la serpiente u otros rituales pueblo a partir de la complejidad ritual y a partir de lo que realmente podría ser el método Warburg. Para comenzar, sería muy importante diferenciar mejor entre los tipos de serpientes que aparecen en el ritual y la mitología hopi. No hay *un* culto a la serpiente (Feest 2007). La víbora de agua no es la misma que la de cascabel. La serpiente provocadora de tormentas es Palölöqangw, pero una complicación es que este ser no necesariamente es una serpiente, porque según algunos se parece a un felino. Cuando es una serpiente es grande, emplumada y de color verdoso. Es la dueña del océano y, eventualmente, destruye el mundo con terremotos y derrumbes. Asimismo, Malotki plantea una asociación con prácticas pasadas de sacrificio humano. También afirma que se trata de una serpiente que vomita agua (Malotki 2002: 3). Como tal aparece en la fiesta Powamu y se equipara con las serpientes cornudas Kolowisi de los zuni, que corresponden a los cuatro colores y rumbos del cosmos (Bunzel 1932: 515).

Otros seres del agua, pero que no tienen una asociación tan directa con serpientes, son los ya mencionados *katsinam*, los famosos grupos de danzantes que existen entre prácticamente todos los pueblos y que, como sabemos, fueron observados por Warburg (Eggan 1950: 91). Cada uno de estos katsinam representa la lluvia, pero además a un personaje ancestral o mitológico particular (Fewkes 1903).

Para los hopis, los *katsinam* son indígenas que se murieron en una batalla contra los mexicanos (Titiev 1944: 109). Sin embargo, para los zunis, se trata de niños que se transformaron en ranas y serpientes acuáticas porque sus madres asustadas los soltaron al agua (Bunzel 1932: 516). Todos los grupos pueblo identifican los *katsinam* con las nubes blancas cúmulo. Su morada son las montañas más altas –como la Sierra de San Francisco o Mt. Tylor– o más bien un Pueblo Katcina ubicado debajo o en el fondo de un lago, que puede contar con un acceso desde una cueva en la montaña sagrada (Ortner 1998: 27).

Ahora bien, las serpientes de cascabel son algo muy distinto. Los rituales, cuyo nombre correcto es *Tsu'ti'kive* (Feest 2007), pertenecen a un grupo de rituales –las ceremonias de las flautas, de las serpientes y de los antílopes o berrendos– asociados más que nada con el sol y el calor de verano, que permite madurar a las cosechas (Titiev, 1944: 148; Ortner, 1998: 72-79). En el ritual de la serpiente, siempre se habla de las cascabeles, una especie altamente venenosa, pero Klauber (1932) aclara que en estos rituales se usaba todo tipo de serpientes, muchas de ellas totalmente inofensivas, como culebras y *Gopher Snakes*. Por otra parte, rituales donde se manipulaban serpientes de cascabel también se han reportado en otros grupos del Suroeste de Norteamérica (Klauber 1956: 1109-1112). Los testimonios más antiguos son cerámicas pintadas, mimbres que datan del siglo XI. En una de estas piezas se observa un danzante manipulando una serpiente, mientras que otra serpiente emerge de una canasta (Carr 1979; Cunkle 2000: 110, Feest 2007: 142).

Figura 15: Cerámica mimbres con danza de serpiente. Tomado de Feest 2007: 142, fig. 16. Cerámica pintada, Mimbres, New Mexico, 1000-1130 d. C. (tomado de Cunkle 2000: 110, fig. 316).
(Dibujo de Nora Rodríguez Zariñán).

Malotki (2000: 65-66) explica que las chicharras o cicadas de la ceremonia hopi de las Flautas (Len) personifican el calor del verano, y todo indica que lo mismo vale para las serpientes de cascabel. Las chicharras solamente producen su ruido a partir de una cierta temperatura, bastante elevada, al igual que las serpientes de cascabel son más activas cuando hace calor. Algunos elementos de las ceremonias de las serpientes, como los zumbadores (*bull-roarers*) y los instrumentos conocidos como *lighting-frames* sí aluden a truenos y relámpagos (Titiev 1944: 151). Según Titiev, los danzantes de la serpiente personifican muertos y ancestros, y se relacionan con el militarismo que en el pasado existía entre los pueblo (Titiev 1944: 152). Voth (1905: 30-38) documentó un mito de una alianza matrimonial entre los hombres y las serpientes de cascabel. Un joven hopi realiza un viaje por el Cañón del Colorado y llega al inframundo. Se casa y trae las serpientes y la ceremonia de las serpientes a casa. En el viaje también conoce personalmente al Sol, vestido como un flautista de las ceremonias Len. Esta historia es un buen ejemplo para las tradiciones amerindias, incluso amerindias-siberianas, donde se celebran matrimonios entre humanos y animales u otros seres de la alteridad.

Con estos breves comentarios quiero insistir en la importancia de profundizar sobre los rituales pueblo a partir de una metodología que toma en serio toda la complejidad ontológica y relacional que Warburg pudo dar cuenta, pero de manera muy parcial. Me refiero a las ambigüedades de las representaciones y escenificaciones, así como a las interacciones siempre complicadas entre los humanos y los seres divinos o meta-humanos.

Los enfoques que Warburg desarrolló en sus estudios sobre arte europeo podrían ser una gran fuente de inspiración para la antropología, pero tal vez se tendrían que dejar a un lado los manuscritos problemáticos que Warburg mismo terminó llamando *Schlangenquatsch* (Freedberg, 2005: 3-25).

Pasamos ahora del Suroeste a la Cuenca del Mississippi. Aquí el material histórico, etnográfico e iconográfico difícilmente nos permite decir algo sobre el tipo de simbolización. Sin embargo, queremos esbozar una nueva interpretación del arte del denominado Complejo Ceremonial del Sureste de los siglos inmediatamente antes de los primeros contactos con los españoles. Retomamos el análisis de Ochpaniztli para plantear que las figuras quiméricas de este arte deben entenderse como expresiones condensadas de relaciones contradictorias, que se viven en contextos rituales, donde la depredación coexiste con celebraciones de alianzas con los seres ancestrales, animales o espíritus, y siempre prevalece una ambigüedad en las relaciones entre estos seres de la alteridad.

IV. Identificación antagonista: seres quiméricos y complejidad relacional en la tradición del Mississippi

1. Una civilización en la periferia nororiental de Mesoamérica

La arqueología del Sureste de los Estados Unidos y de la Cuenca del Mississippi sigue siendo relativamente poco conocida. En el imaginario de mucha gente, los pueblos aborígenes de Norteamérica se definen como los cazadores de bisonte de las Praderas (Great Plains), los Pueblos sedentarios del Suroeste (Arizona y Nuevo México) y los talladores de madera de la Costa del Pacífico Noroccidental (Columbia Británica). Los pobladores de los Bosques del Noreste y de la región de los Grandes Lagos también son famosos, pero casi nadie, aparte de los especialistas en el tema, tiene consciencia de que la Cuenca del Mississippi era una región densamente poblada, con sociedades jerarquizadas, sostenidas por una agricultura de maíz altamente productiva y con centros ceremoniales como Cahokia (Illinois) o Moundville (Alabama), que podrían pensarse casi en los mismos términos que Tula, Chichén Itzá y Teotihuacan.

Después de los primeros contactos con los españoles a mediados del siglo XVI, la región sufrió una catástrofe demográfica de tal magnitud que, al inicio de la colonización francesa de la Luisiana en la segunda mitad del siglo XVII, la mayoría de los centros ceremoniales ya estaban abandonados. Los bosques habían vuelto a crecer y los pobladores europeos pensaban que colonizaban una selva virgen (Milner 2004: 12). Entre los restos de las antiguas civilizaciones que se encontraron, destaca la monarquía solar de los natchez que tanto inspiró a François-René de Chateaubriand (IX/1801). Cuando, en el siglo XIX, iniciaron los estudios arqueológicos de los antiguos sitios, los investigadores se inclinaban a pensar que ni los *temple mounds*, ni los artefactos sofisticados de concha, cobre y otros materiales encontrados en los interiores de estos montículos eran efectivamente obras de pueblos nativos de Norteamérica. Más bien se especulaba con una "raza perdida" de "constructores de montículos", con conquistas vikingas, migraciones toltecas e, incluso, con poblaciones mexicanas introducidas por los españoles en el siglo XVI. Lewis Henry Morgan pensaba que los montículos de la Cuenca del Mississippi eran obra de los "avanzados" indios pueblo del Suroeste de Estados Unidos (Thomas 1894; Silverberg 1968).

Hasta la fecha, los especialistas norteamericanos hablan de "prehistoria" para referirse a la historia precolombina de su país y, especialmente en el Sureste, los proyectos arqueológicos siguen siendo escasos y sus resultados poco difundidos. Los especialistas en la antropología del Sureste normalmente sostienen que los centros ceremoniales de la fase Mississippi (1000-1700 d.C.) –sitios como Spiro (Oklahoma), Moundville (Alabama) y Etowah (Georgia)– corresponden a un tipo de sociedad que, en la jerga neoevolucionista, se denomina "jefatura" (Steponaitis 1986; Earl 1987). Únicamente el sitio más grande de la región, Cahokia (Illinois), se clasifica como "estado temprano". La evidencia arqueológica y etnohistórica indica que estas entidades practicaban *chiefly warfare*, guerras ritualizadas entre sí, con la finalidad de cobrar tributo a las jefaturas derrotadas y obtener víctimas para los ritos de sacrificio humano (Dye 2004).

Con tales costumbres, combinadas con una agricultura de maíz generalizada y una arquitectura ceremonial de plazas rectangulares, canchas para juegos de pelota y altas pirámides de tierra, resulta difícil no especular con contactos interregionales que hayan involucrado a Mesoamérica. Se sabe, además, que los diferentes centros ceremoniales de la Cuenca del Mississippi se conectaban por una extensa red de rutas comerciales. Contribuciones clásicas al debate sobre posibles relaciones entre Mesoamérica y el Sureste de Norteamérica son los textos de Philip Phillips (1940), John W. Bennett (1944), Alex D. Krieger (1945; 1953), Richard S. MacNeish (1948), Charles J. Kelley (1952) y James B. Griffin (1966). A diferencia de Nuevo México y Arizona, donde se encontraron suficientes materiales para demostrar relaciones históricas con Mesoamérica –a tal grado que, en lugar de un "Suroeste de Norteamérica", se comienza a hablar de un "Noroeste mesoamericano" (Branniff, Cordell, Gutiérrez, Villapando y Hers 2001) y se incluye a la región en un área cultural llamada "Greater Mesoamerica" (Foster y Gorenstein 2000)–, en el Sureste aún no se han hallado pruebas concretas y contundentes a favor de contactos sostenidos y regulares.

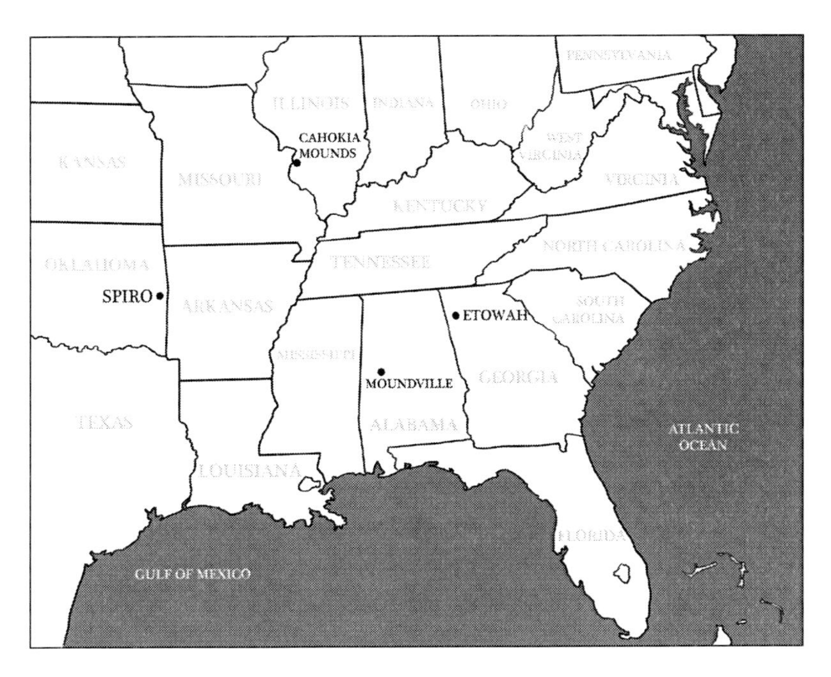

Figura 16. Mapa del Sureste de Norteamérica. Dibujo de Acelo Ruiz basado en Townsend, Richard F. (ed.) *Hero, Hawk, and Open Hands. American Indian art of the Ancient Midwest and South,* 2004: 13.

Figura 17. Montículos piramidales, Cahokia. Dibujo de Acelo Ruiz basado en Townsend, Richard F. (ed.) *Hero, Hawk, and Open Hands. American Indian art of the Ancient Midwest and South,* 2004: 96.

Figura 18. El gran Sol de los natchez transportado en su palanquín. Dibujo de Acelo Ruiz basado en Antoine Le Page du Pratz, Antoine, *Histoire de la Louisiane*, 1758. Tomado de Johannes Neurath, "La iconografía del Complejo Ceremonial del Sureste y el sacrificio de flechamiento pawnee: contribuciones analíticas desde la perspectiva mesoamericanista". En *Por los caminos del maíz. Mito, ritual y cosmovisión en la periferia septentrional de Mesoamérica*, 2008: 192, fig. 4.3.

Los modelos interpretativos sobre las culturas del Suroeste suelen basarse en fragmentos etnográficos que provienen, por un lado, de testimonios españoles, franceses e ingleses tempranos, y por el otro de estudios antropológicos profesionales realizados sobre todo hacia finales siglo XIX y a principios del XX. Sin embargo, debido a las circunstancias mencionadas, el registro etnográfico de las culturas de la región es, en el mejor de los casos, fragmentario. En este contexto poco alentador, el estudio de la iconografía de los artefactos arqueológicos adquiere una relevancia especial. Los objetos más tempranos pertenecen a un grupo de estilos que se conoce como Woodland (700 a.C.-1000 d.C.); los más recientes a un estilo horizonte conocido como el Complejo Ceremonial del Sureste y que es parte del denominado periodo Mississippi (a partir de 1000 d.C. hasta los inicios de la colonización europea). El estilo mencionado se manifiesta, principalmente, en un conjunto de objetos ceremoniales que suelen encontrarse en entierros de élite; destacan los pectorales y las copas grabadas de concha, así como las láminas de cobre trabajadas en técnica de repujado. Todos estos artefactos muestran una elaborada iconografía ritual, con representaciones de guerreros zoomorfos y animales fantasmagóricos, escenas rituales y motivos mortuorios (Waring y Holder 1945; Krieger 1945; Brown 1989). Aquí queremos desarrollar algunas ideas sobre el arte y la iconografía de esta segunda época. Sin duda, se presta a ser interpretado a partir de un enfoque que enfatiza la complejidad ritual.

He argumentado en otros lugares que las comparaciones con Mesoamérica no necesariamente abren perspectivas completamente distintas, pero permiten profundizar sobre aspectos que, por razones históricas, en Mesoamérica se encuentran mejor documentados (Neurath 1991; 1992; 1994; 2008b). Quiero retomar esta idea, por una parte, porque se han publicado varios estudios nuevos sobre la iconografía mississippiana (Townsend 2004; Reilly III y Garber 2007) y, en especial, porque avances recientes en los estudios mesoamericanos permiten entender mejor cómo eran las relaciones entre humanos, ancestros y dioses o entre los guerreros y sus enemigos (por ejemplo, Olivier 2015; Neurath 2016). Estos nuevos modelos enfatizan el carácter complejo y siempre ambiguo de las relaciones. Queda claro que el enfoque no se limita a Mesoamérica. Ya que es similar a los planteamientos de algunos especialistas de las Tierras Bajas de América del Sur (por ejemplo, Taylor 2003; 2006), pienso que también puede resultar útil para comprender aspectos del arte y del ritual del periodo Mississippi y de tradiciones relacionadas.

2. El Complejo Ceremonial de Sureste

Los artefactos del Complejo Ceremonial de Sureste están fechados entre 1200 y 1350 d.C. y son compartidos por la mayoría de los sitios del periodo Mississippi, entre los cuales sobresalen Etowah (Georgia), Moundville (Alabama) y Spiro (Oklahoma). Los sitios donde se encuentran los artefactos son entierros y, en estos contextos, los motivos mortuorios pueden parecer muy adecuados. Otros motivos iconográficos dejan entrever las actividades guerreras a las que se dedicaba la aristocracia de las jefaturas mississippianas. De esta manera, por lo menos una parte de las representaciones pueden ubicarse en un contexto donde se enaltecen la vida y la muerte de los guerreros, de los gobernantes y sus ancestros. James A. Brown, uno de los arqueólogos más prominentes especializado en el Sureste, sigue a Maurice Bloch (1994 [1971]) cuando plantea que, probablemente, los muertos de élite tenían una relevancia especial para garantizar la continuidad de la vida de los seres humanos (Brown 1975; 1995). Veremos más adelante que este panorama se complica un poco cuando se analizan otros aspectos de la iconografía.

El relato de Álvar Núñez Cabeza de Vaca (2005 [1542]) y las crónicas de la expedición de Hernando de Soto ofrecen interesantes instantáneas de la antigua civilización mississippiana –imágenes únicas de una cultura floreciente que se derrumbaría en unas cuantas décadas (Garcilaso de la Vega 1986 [1605]; Elvas 1933; ver Phillips, Ford y Griffin 1951; Hudson 1997). Cuando los exploradores franceses, provenientes de la región de los Grandes Lagos, bajaron el Río Mississippi durante los primeros años del siglo XVIII, apenas encontraron unos vestigios del antiguo esplendor. Sobre todo, las descripciones relativamente detalladas de la monarquía "heliocéntrica" de los natchez resultan ser indispensables para la reconstrucción de los sistemas político-religiosos que debieron haber existido en los sitios arqueológicos del periodo Mississippi (Le Page du Pratz 1785; Swanton 1911). Los colonos británicos y anglo-americanos que se establecieron en el Sureste también produjeron algunos textos etnográficos relevantes (ver Waselkov y Braund 2002), en especial el comerciante irlandés James Adair quien vivió entre los chickasaw (Adair 1775). Pero ni los españoles, ni los franceses, ni los británicos ofrecen información suficientemente detallada para descifrar la iconografía compleja y enigmática del arte del Complejo Ceremonial del Sureste. Como dice William Sturtevant, lamentablemente, "no hubo un Sahagún en el Sureste" (Sturtevant 1979: 5).

Cuando se desarrolló la etnografía moderna, para muchos pueblos indígenas de la región ya era demasiado tarde. Una de las grandes excepciones es la obra de James Mooney, quien registró la historia oral, la mitología cosmogónica y las fórmulas mágicas de los cherokees de Carolina del Norte (1992 [1891, 1900]). Aunque esta etnia se considera un grupo algo marginal a la civilización mississippiana, los trabajos de Mooney son usados regularmente para interpretar los materiales del Complejo Ceremonial del Sureste (Hudson 1976).

En lo que se refiere a la vida ceremonial, contamos con varios testimonios sobre las sorprendentes costumbres funerarias de los natchez, creek, choctaw, chicasaw y chitimacha. Entre los choctaw, los cadáveres se dejaban en la intemperie durante un cierto lapso. Los *Buzzard Men,* que tenían la tarea de limpiar los huesos de los cadáveres, enterraban o quemaban lo que quedaba de la carne, mientras que los huesos eran depositados en casas especiales (Swanton 1946: 725). Esta costumbre de realizar entierros secundarios recuerda, sin duda, a los que se conoce del Sureste de Asia y de Madagascar (Hertz 1990; Bloch 1994 [1971]).

Existe, asimismo, una serie de etnografías que describen la danza *busk* o del elote tierno (*Green Corn Dance*), practicada hasta la fecha por algunos de los grupos originarios del Sureste, como los creek, los choctaw y los chicasaw. Destacan los ritos como la renovación del fuego y la purificación ritual con una bebida elaborada de *Ilex vomitoria* (*yaupon holly*, acebo), conocida como el *Black Drink* y comparable con el mate. Durante la fiesta anual de elote de los grupos muscogeanos todos los fuegos debían ser apagados, porque se consideraba que el fuego sagrado había acumulado mucha contaminación durante el año. Por esto, un fuego nuevo y puro debía encenderse para tostar los elotes de la nueva cosecha (cfr. Swanton 1928: 581; Waselkov y Braund 2002: 125).

Varios autores han hecho esfuerzos para relacionar elementos iconográficos mississippianos con aspectos de estas ceremonias (Howard 1968; Waring 1968;

Hudson 1976; Emerson 1989; Dye 2007). Encontramos un dato muy importante en la descripción de una fiesta del elote (*Green Corn*) de los creek, donde se menciona el uso ritual de placas de cobre circulares y de forma de hacha, que se colocan en el piso, sobre una cama de arena blanca ubicada en el patio ceremonial. Estos objetos, que no debían ser vistos por las mujeres, tenían una decoración mucho más sencilla que los artefactos de cobre encontrados en los sitios del periodo Mississippi (Swanton 1928; Hudson 1984: 21).

En resumen, mientras que no se puede decir que no haya pistas para interpretar el arte del Complejo Ceremonial del Sudeste, también es cierto que las posibilidades para establecer analogías etnográficas directas son bastante limitadas. Una revisión crítica de estos estudios despierta, además, la sospecha de que se están usando modelos demasiado simples. Lo que se suele enfatizar es el dualismo cósmico que, posiblemente, corresponde a una organización social por mitades, como se ha documentado en la etnografía de algunos grupos de la región. Seres compuestos que mezclan rasgos antropomorfos y zoomorfos se relacionan con figuras que aparecen en mitos y leyendas indígenas, como la Uktena de los cherokee (Mooney 1992 [1900]), el pájaro del Trueno (*Thunderbird*) y la denominada pantera subacuática (*Underwater Panther*). Todas estas figuras suelen explicarse dentro de este mismo marco de un dualismo cosmológico (Hudson 1984; Feest 1998: 93; Brown 2007; Lankford 2004; Lankford 2007a; Lankford 2007b: 108).

Sin embargo, cada vez queda más claro que resulta insuficiente pretender entender las religiones amerindias como expresiones de sistemas de clasificación tan simples. Las dicotomías son importantes, pero al mismo tiempo se observan un gran número de figuraciones ambiguas donde los supuestos contrarios coexisten y se condensan. Lo que propongo es vincular el estudio de la iconografía con una reflexión sobre la complejidad relacional en el ritual. Las figuras enigmáticas del Complejo Ceremonial del Sureste son, posiblemente, quimeras en el sentido de Carlo Severi (2010). Es decir, las ambigüedades iconográficas se pueden entender como expresiones de aspectos que caracterizan la acción ritual, como la acumulación de identidades de parte de los especialistas rituales y la condensación de relaciones contradictorias entre diferentes participantes.

De la etnografía del Sureste sabemos que muchas sociedades indígenas de esta área contaban con organizaciones de mitades (*moieties*), que en algunos casos se asociaban con la guerra y la paz (Waselkov y Braund 2002: 256) o, más bien, con estaciones contrastantes como invierno y verano. La finalidad de estas mitades no exógamas era, más que nada, de naturaleza ceremonial (cfr. Tooker 1971: 357). En algunos casos, por ejemplo, la membresía en las mitades servía para definir los equipos para el juego de pelota (Kasprycki 2000: 164). Asimismo, en muchas culturas indígenas del Este de Norteamérica se enfatizaba una dicotomía cosmológica donde criaturas celestiales, como las aves del trueno, luchaban contra seres telúricos y acuáticos como serpientes y panteras subacuáticas. En palabras de Charles Hudson, un especialista en la etnografía del Sureste, "los seres humanos vivían en medio, intentando mantener el equilibrio" (Hudson 1976: 128; cfr. Hultkrantz 1967: 50). Efectivamente, en muchos diseños mississippianos observamos pares de animales o de actores rituales separados por una cuerda o algún elemento entrelazado, o pares de animales, aves o serpientes entrelazados. El esquema dualista propuesto por Hudson recuerda, sin duda, a ciertas interpretaciones esquemáticas de las cosmovisiones que conocemos de los estudios mesoamericanos de finales del siglo pasado (Matos 1987; López Austin 1994; Graulich 1999). Siguiendo estos enfoques, los motivos dualistas del Sureste bien podrían ser comparados con representaciones mesoamericanas de conceptos cosmológicos como *ollin* ("movimiento"), *malinalli* ("hierba", "cosa torcida") o *atl-tlachinolli* ("agua-cosa quemada"), una metáfora para la guerra (cfr. López Austin 1994)

Figura 19. Copa 192 de concha de caracol marino grabado de Spiro que muestra danzantes con serpientes entrelazados. Dibujo de Acelo Ruiz basado en Phillips, Philip y James A. Brown. 1978. Pre-Colombian Shell Engravings from the Craig Mound at Spiro, Oklahoma, plate 192. Tomado de Townsend, Richard F. (ed.) *Hero, Hawk, and Open Hands. American Indian art of the Ancient Midwest and South*, 2004: 32, fig. 43.

Sin embargo, no parece posible que haya existido un dualismo siempre tan simétrico. En el nivel del dualismo sociológico –la organización de mitades– puede constatarse una tendencia hacia la jerarquía. La relación entre las mitades que Paul Radin (1923) documentó entre los winnebago, un grupo siouano de la región de los Grandes Lagos, es uno de los ejemplos clásicos del dualismo concéntrico o asimétrico, que fue analizado por Claude Lévi-Strauss (1992 [1958]) y Dumont (1980 [1966]; Barnes et al. 1985). La primera mitad abarca a la otra, pero la segunda mitad nunca es más que una parte.

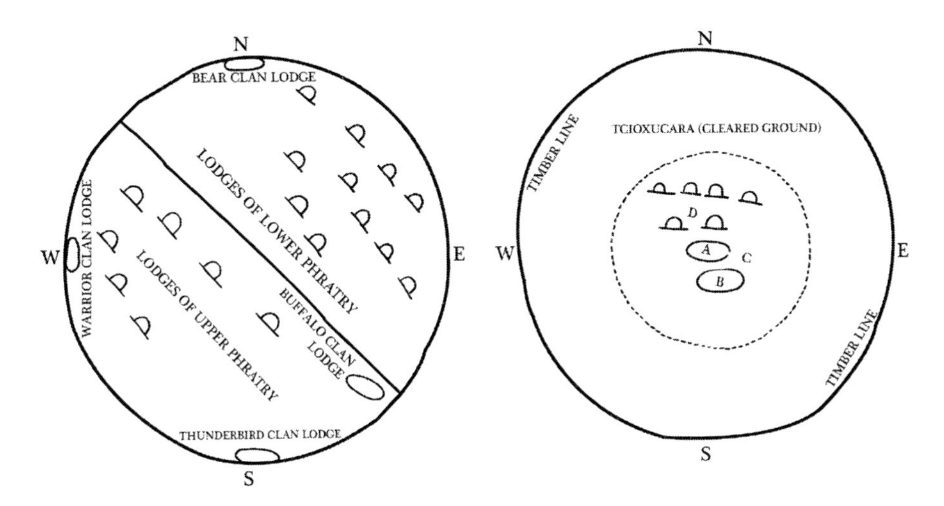

Figura 20. Mitades winnebago: planos de una aldea según informantes de diferentes mitades. Dibujo de Acelo Ruiz basado en Paul Radin, Paul, The Winnebago Tribe. *XXXVII Annual Report of the Bureau of American Ethnology*, 1923: 140-142, figs. 33 y 34.

Asimismo, puede resultar problemático dar por hecho que haya existido un isomorfismo entre estructuras sociológicas y cosmológicas. Por otra parte, reconocer la importancia de jerarquías sí nos puede hacer valorar las representaciones de las luchas cósmicas en el mito y en el ritual. Sabemos que, en la iconografía del Complejo Ceremonial del Sureste, las representaciones de guerreros triunfantes con rasgos de ave son tan frecuentes como las imágenes de serpientes aladas o cornudas (Brown 2007; Lankford 2007b). Es bastante evidente que los gobernantes se identificaron con halcones u otras aves de rapiña. Posiblemente se transformaban en estas aves después de morir. También se supone que los jefes y las aves hayan tenido una identificación con la Estrella de la Mañana (Brown 2007: 71). El denominado "hombre-ave" (*Birdman*) puede considerarse una variante del ave del trueno o *thunderer*, que es una de las figuras mitológicas más importantes en el Este y Centro de Norteamérica. En la narrativa de muchos grupos del Sur y Medio Oeste de Estados Unidos se habla de combates entre los *thunderbirds* y panteras subacuáticas, serpientes aladas o cornudas (Lankford 2007b). Morfológicamente, panteras subacuáticas y serpientes aladas y cornudas pueden empalmarse. La famosa pintura de *The Piasa* en un sitio de arte rupestre ubicado cerca de Alton (Illinois) muestra un tipo de dragón. En muchos casos, la tarea de los seres celestiales es derrotar y controlar a los monstruos de abajo. "Los seres del trueno todo el tiempo se ocupan para mantener en jaque a los seres malvados del inframundo" (Feest 1986: 10; mi trad.).

Figura 21. Hombre-ave con brazos de serpiente. Copa 238 de concha de caracol marino grabado, Braden B style, Spiro, Oklahoma. Dibujo de Acelo Ruiz basado en Phillips, Philip y James A. Brown. 1978. Pre-Colombian Shell Engravings from the Craig Mound at Spiro, Oklahoma, plate 203. Tomado de Reilly III, F. Kent, y James F. Garber (eds.) *Ancient Objects and Sacred Realms. Interpretations of Mississippian Iconography*, 2007, fig. 3.3.

Como lo expresan los menominee, el ave del trueno "es él quien siempre gana en el juego de pelota" (Hoffman 1896; Preuss 1905b: 379). Esto recuerda las interpretaciones de las concepciones mesoamericanas donde el cosmos se plantea como un campo de batalla donde los dioses asociados con el cielo o de la luz permanentemente luchan contra los demonios del inframundo o de la oscuridad.

Figura 22. Hombre-ave. Lámina de cobre repujado, Etowah, Georgia. Dibujo de Acelo Ruiz basado en Reilly III, F. Kent, y James F. Garber (eds.) *Ancient Objects and Sacred Realms. Interpretations of Mississippian Iconography*, 2007: 78, 4.1. d. (Cp. Townsend, Richard F. (ed.) *Hero, Hawk, and Open Hands. American Indian art of the Ancient Midwest and South*, 2004: 150, fig. 1.)

El etnólogo alemán Konrad Theodor Preuss postuló que la "lucha del sol contra las estrellas" era el mito más importante para comprender la religión de los antiguos mexicanos. Definió esta batalla astral como un principio estructurador que debe ser el punto de partida para el análisis de todo el sistema simbólico en cuestión (Preuss 1905a: 136). En su tratado "La influencia de la naturaleza sobre la religión en México y en los Estados Unidos" (1905b), Preuss demostró que este mismo conflicto cósmico también se expresa en muchas mitologías indígenas norteamericanas, por ejemplo, entre los ojibwa, los cherokee, los menominee, los arapaho, los mandan, los yute y los hopi. Naturalmente, estas luchas cósmicas o astrales son eternas e irresolubles, sin ganadores ni perdedores permanentes. El sol y sus aliados triunfan en cada amanecer, sólo para volver a ser derrotados en el crepúsculo. Sin embargo, de todas maneras, la victoria matutina del sol sobre la oscuridad se considera más importante que el proceso inverso. Los sacerdotes y gobernantes se identifican con el astro diurno triunfante, pero nunca con el sol que muere; por esta razón no parece correcto hablar de un equilibrio cósmico.

Sin embargo, tanto las leyendas como algunas representaciones iconográficas del Sureste complican también el esquematismo de la lucha cósmica. Las serpientes monstruosas de los mitos existen no solamente en el inframundo, sino en todos los niveles del cosmos (Lankford 2007b: 109). Si analizamos con cuidado la iconografía, nos damos cuenta de que, en el Complejo Ceremonial de Sureste, hay hombres pájaro con brazos o alas en forma de serpiente (Strong 1989: 228). ¿El depredador celeste se está convirtiendo en su némesis?

Figura 23. Cerámica Hemphill style de Moundville, Alabama, que muestra una serpiente alada. Dibujo de Acelo Ruiz basado en Reilly III, F. Kent, y James F. Garber (eds.) *Ancient Objects and Sacred Realms. Interpretations of Mississippian Iconography*, 2007: 51, fig. 3.7.

En la relación entre humanos y animales también encontramos ambigüedades. De la gran serpiente Uktena de la mitología cherokee se afirma que originalmente era un ser humano. Su transformación en una serpiente se debe a que se le encomendó asesinar al sol –la deidad suprema de muchas religiones del Sureste–, cuando éste había mandado una epidemia para acabar con la humanidad. El monstruo falló miserablemente en su intento y, como consecuencia, se llenó de resentimiento contra la humanidad (Hudson 1976: 145; Mooney 1992 [1900]: 252-254).

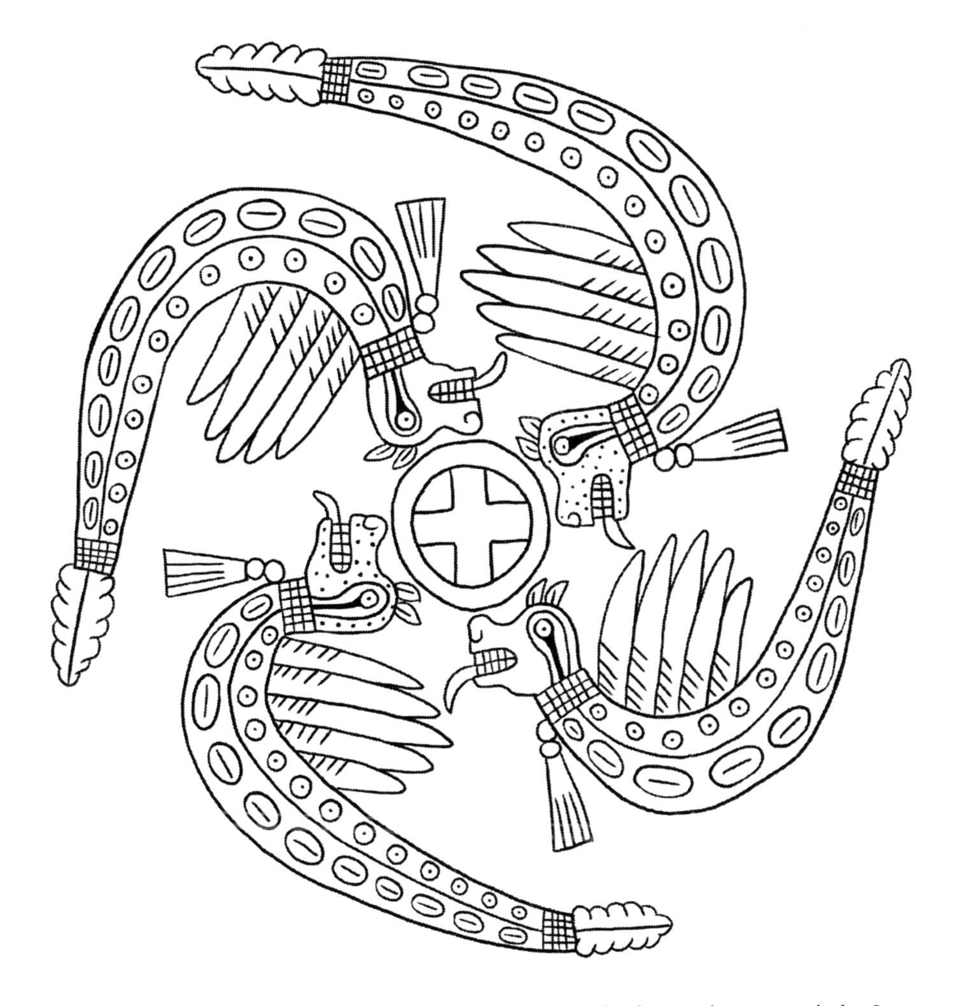

Figura 24. Cosmograma con serpientes aladas. Copa 229 de concha de caracol marino grabado, Spiro, Oklahoma. Dibujo de Acelo Ruiz basado en Phillips, Philip y James A. Brown. 1978. *Pre-Colombian Shell Engravings from the Craig Mound at Spiro*, Oklahoma, plate 229. Tomado de Townsend, Richard F. (ed.) *Hero, Hawk, and Open Hands. American Indian art of the Ancient Midwest and South*, 2004: 128, fig. 6.

Figura 25. Cosmograma con felinos. Copa 228 de concha de caracol marino grabado, Spiro, Oklahoma. Dibujo de Acelo Ruiz basado en Phillips, Philip y James A. Brown. 1978. *Pre-Colombian Shell Engravings from the Craig Mound at Spiro, Oklahoma*, plate 228. Tomado de Townsend, Richard F. (ed.) *Hero, Hawk, and Open Hands. American Indian art of the Ancient Midwest and South*, 2004: 128, fig. 4.

Uktena, sin duda, es un personaje tendencialmente negativo, pero su antagonista, el sol, tampoco tiene un carácter puramente positivo. Como lo señaló Lévi-Strauss en *El origen de las maneras de la mesa* (1992 [1968]), las deidades solares y celestes de las Praderas y del Este de Norteamérica, frecuentemente, son seres peligrosos, celosos, destructivos, incluso caníbales. Al igual como lo describen Eduardo Viveiros de Castro (1992) para el caso de los araweté en Amazonia, Ernst Halbmayer (1998) para el caso de los yukpa de la Sierra de Perijá y Guillem Olivier (2003; 2015) para los antiguos mexicas, los dioses celestes y solares son muchas veces enemigos de su pueblo. Así que nos parece un poco simple cuando Hudson afirma que "el mundo superior representa la estructura, los límites, le periodicidad, el orden, la estabilidad y el pasado, mientras que el mundo inferior la inversión, la locura, la innovación, la fertilidad, el cambio y el futuro" (Hudson 1976: 128).

Vale la pena retomar la evaluación crítica de la importancia de los mitos de lucha cósmica en Mesoamérica. Primero, resulta relevante señalar que algunas deidades solares mesoamericanas no solamente vencen a los monstruos del inframundo, sino que también se transforman en ellos. Entre los huicholes se cree que la serpiente del mar devora al sol del atardecer, pero también se afirma que el sol se convierte en este monstruo acuático. Es bajo esta forma que logra cruzar el agua por debajo de la tierra para salir de nuevo en el oriente (Neurath 2002). Desconocemos si un mito con este motivo se ha registrado en alguna parte del Sureste, pero una transformación de este tipo parece sugerente para la interpretación del ya mencionado hombre-pájaro con alas de serpiente.

La razón de la trasformación del sol en su propio enemigo es un "pecado", es decir, una transgresión sexual: al llegar al poniente, el astro diurno es seducido por una "sirena", una atractiva mujer con cola de serpiente. En algunas versiones se menciona que este demonio tiene una *vagina dentada*, así que, al tener relaciones sexuales con él, devora al Sol. Transgresiones y transformaciones similares también se mencionan en el caso de la deidad cora del planeta Venus, Hatsikan. Al acercarse al poniente, el hermano mayor, que es la Estrella de la Mañana, no resiste la tentación. Por eso muere y vuelve a nacer como su *alter ego*, la libidinosa deidad de la Estrella de la Tarde, Sautari (Preuss 1912; Coyle 2001; Neurath 2004).

En resumen, las deidades solares y venusinas mesoamericanas tienen fases durante las cuales se convierten en seres peligrosos, destructivos y caníbales. El doble carácter del planeta Venus, que es uno a la vez que dos, Estrella de la Mañana y/o Estrella de la Tarde, fue sin duda la razón por la cual le daba tanta importancia a este cuerpo celeste (Neurath 2004). Los gobernantes y chamanes suelen identificarse con el lado luminoso del ser celestial, con el sol naciente o con la estrella de la mañana. Pero los seres poderosos siempre tienen la tendencia de convertirse en su aspecto oscuro.

Vimos que, en muchas partes de América, desde Amazonía hasta Mesoamérica y el Suroeste de Norteamérica, había relaciones de *identificación antagonista* con dioses. Probablemente también en el Sureste. De esta manera, la clave para entender las religiones, los rituales y el arte ritual amerindio es la ambigüedad en la relación entre los humanos y los entes poderosos del ámbito de alteridad. Relacionarse con estos seres es siempre peligroso, pero al mismo tiempo es la única manera de obtener la vida y el poder. Los rituales son, entonces, intentos de manejar todas las complicaciones, contradicciones, ambigüedades y paradojas que surgen en la relación entre los humanos que buscan el poder y los seres que pertenecen a los ámbitos de la otredad. Debemos reflexionar sobre la importancia del arte dentro de estas situaciones siempre problemáticas, donde se desea entrar en contacto con seres de la alteridad, transformarse en ellos o, por lo menos, identificarse con ellos, para obtener su poder. Empero también se busca controlar y someter a estos seres.

Muchas imágenes del periodo Mississippi caben bastante bien en un marco de referencia de este tipo. Podemos suponer que los gobernantes de las sociedades Mississippi se identificaban con seres poderosos de la alteridad, al mismo tiempo los combatían, así que las tumbas de élite se llenaban con piezas que presentificaban estos mismos seres. Las serpientes aladas, felinos monstruosos y otros seres quiméricos representaban la ancestralidad, al mismo tiempo que los enemigos.

Esta ambigüedad explicaría, probablemente, por qué tan sólo unas cuantas representaciones efectivamente muestran seres claramente opuestos y confrontados en un combate. Un ejemplo es el pectoral de Oeneville donde se aprecia un ave de rapiña luchando contra un felino.

Por otra parte, sí es importante tomar en cuenta que en las religiones del Sureste se ponía mucho énfasis en la pureza ritual y los tabúes se tomaban muy en serio (Adair 1775; Hudson 1976), mucho más que en Mesoamérica, por ejemplo. Puede afirmarse que las sociedades de la región tenían la tendencia de establecer dicotomías de toda índole (Feest 1998: 93). Esto se observa, también, en la importancia de los tabúes que eran, a final de cuentas, reglas para mantener separadas las categorías opuestas (Hudson 1985; Dye 2007). Como lo explica Hudson, mezclar las fuerzas antagónicas era peligroso: por ejemplo, el agua y el fuego debían mantenerse separados, tan sólo en las ceremonias mortuorias el fuego podía apagarse con agua. De manera análoga, sólo después de la muerte las mujeres y los hombres podían comer juntos (Hudson 1976: 317, 328), y los eclipses eran considerados algo "realmente terrible" (Hudson 1976: 126). Sin embargo, si esto hubiera sido toda la historia, ¿cómo se podría explicar que en el arte del Mississippi se plasmaron tanto los seres quiméricos que combinaban rasgos de todo tipo de seres?

Las purificaciones rituales tenían que ver con la guerra. Se realizaban ritos donde se usaba un vomitivo conocido como la bebida negra (*Black Drink*), elaborado a partir de la planta *Ilex vomitora*. Estos rituales se documentaron entre guerreros preparándose para la guerra, o bien para los que regresaron contaminados del combate, por haber matado a un enemigo (Dye 2007: 155). Las escenas que se observa en los pectorales 126 y 127 de Spiro, efectivamente, podrían ser ceremoniales con ollas llenas de bebida negra antes o después de las guerras.

En este contexto puede ser muy relevante considerar la importancia que los trofeos de guerra tenían en el ritual mississippiano. Es más, motivos como cráneos, brazos y manos descarnados son tan comunes en el Complejo Ceremonial del Sureste (Dye 2007; Lankford 2007b), que se hablaba de un "culto sureño de la muerte" (*Southern Death Cult*).

Figura 26. Pectoral de Oeneville. NMAI. Dibujo de Acelo Ruiz basado en Townsend, Richard F. (ed.) *Hero, Hawk, and Open Hands. American Indian art of the Ancient Midwest and South*, 2004: 20, fig. 8.

Esta iconografía puede vincularse, como se ha hecho, con ritos mortuorios, con la transformación de muertos en ancestros o con problemas rituales que surgieron a partir de la relación compleja entre los guerreros victoriosos y los enemigos asesinados. Es decir, podemos suponer relaciones similares a los que se ha documentado en las Tierras Bajas de Sudamérica (Viveiros de Castro 1992; Descola 1996; Taylor 2006), en Mesoamérica (Olivier 2015) y en otras partes de Norteamérica (Bahr *et al.* 1979). La guerra era importante para establecer, a través de los enemigos, relaciones con los seres de la alteridad. En consecuencia, era importante purificarse de la contaminación que estas relaciones implicaban, volverse a distanciar del enemigo o mantener los ámbitos separados. Parece que lo que prevalecía era una dialéctica donde se buscaba relaciones, incluso identificaciones con la alteridad, al mismo tiempo que los opuestos tenían que volverse a separar.

Figura 27. Cabezas trofeos, manos y huesos rotos. Braden style cup fragment, Spiro. Dibujo de Acelo Ruiz basado en Phillips and Brown 1978, plate 57. En Reilly III, F. Kent, y James F. Garber (eds.) *Ancient Objects and Sacred Realms. Interpretations of Mississippian Iconography*, 2007: 44, fig. 3.2.

La purificación de los guerreros que triunfaron podría explicarse dentro del mismo marco conceptual que los entierros secundarios, donde los huesos de los muertos se limpiaban de restos de carne antes de depositarlos en recintos especiales, en los cuales se les rendía culto en calidad de ancestros.

3. El sacrifico de flechamiento

Lo que ahora hace falta indagar son aquellas situaciones rituales donde seres se convierten en su *alter ego*, oponiéndose o separándose, a la vez que identificándose con ellos.

Para la interpretación de la iconografía del Complejo Ceremonial del Sureste, uno de los hechos más lamentables es que existan tan pocos documentos sobre la cultura de los cacicazgos caddo quienes, en épocas precolombinas, construyeron sitios de la importancia de Spiro y, en tiempos de la colonización española, controlaron un gran parte del territorio de lo que hoy en día son los estados de Texas, Oklahoma y Arkansas (Swanton 1942; Chipmann 1992). Hasta cierto punto, esta falta de datos puede compensarse por las excelentes etnografías que se han elaborado para algunos grupos caddoanos de las Praderas, como los pawnee. El contexto sociocultural de los caddo de las Praderas y otros grupos cultivadores de la región del Alto Missouri (cfr. Will y Hyde 2002 [1917]) no es más que un eco distante de la antigua civilización mississippiana. Sin embargo, pueden encontrarse elementos de complejidad ritual que pueden relacionarse con lo que se observa en la iconografía del Complejo Ceremonial del Sureste. El caso más notable es el sacrificio humano pawnee dedicado a las deidades del planeta Venus. Precisamente por este rito, los pawnees también han sido vinculados con los antiguos mexicanos, al menos por aquellos autores que creían en la posibilidad de influencias mesoamericanas en regiones tan distantes (Wissler y Spinden 1916; Preuss 1929; Preuss y Mengin 1937: 30; Krickeberg 1961; Nowotny 1961: 52). El antropólogo venezolano Acosta Saignes (1950), incluso propuso la existencia de un "complejo Tlacaxipehualiztli", que consiste principalmente en el flechamiento y el desollamiento ritual y se extiende desde las praderas de Norteamérica, pasando por la Costa del Golfo de México, hasta porciones del norte de Sudamérica.

Los pawnee son de los grupos más septentrionales del tronco lingüístico caddo. Vivían en las Praderas del actual estado de Nebraska y fueron minuciosamente documentados por investigadores de la primera generación de etnógrafos profesionales estadounidenses. Alice Fletcher, George A. Dorsey y James Murie produjeron monografías insuperadas por su amor por el detalle (Fletcher 1902; 1904; Dorsey 1904; 1906; Murie 1913; 1981; ver también Hyde 1951; Weltfish 1977 [1965]).

A partir de estos materiales, la complejidad relacional en el sacrificio humano de flechamiento pawnee ha sido estudiada por Lévi-Strauss (1994 [1962]), con un marco conceptual que, siguiendo a Descola (2012), podríamos llamar "analogista". Ahora ponemos el énfasis en las identificaciones múltiples, paradojas y contradicciones que, de cierta manera, desafían el análisis estructuralista.

El sacrificio de flechamiento pawnee era la escenificación de un combate mítico entre dos dioses astrales, la estrella de la mañana y la estrella de la tarde. La relación entre ambos aspectos de Venus es interesante, en especial por sus implicaciones políticas. La víctima personificaba a la diosa Cu:piritta:ka, "estrella femenina blanca", también conocida como "estrella brillante" o "estrella vespertina". El hombre que disparaba la flecha mortal personificaba al dios U:pirukucu, la "estrella grande" o "lucero matutino". Según una versión del mito, la Estrella de la Tarde, es decir, la víctima, era una diosa poderosa y bella que se negaba a crear el mundo, como se lo exigía el dios de la estrella matutina. En un gran combate, la diosa y sus aliados –el oso, el puma, el gato, el lobo y un grupo de estrellas llamado "serpiente"– fueron derrotados por la Estrella de la Mañana que solamente tuvo el apoyo de su hermano menor, el Sol. Así que la Estrella de la Tarde fue obligada a casarse con el dios de la Estrella de la Mañana y le fueron sacados los dientes vaginales. Pronto, ella dio a luz a una niña, la primera mujer, que fue casada con el primer hombre, hijo del sol y de la luna. La tierra fue creada como hogar para la pareja y sus descendientes matrilineales, los skidi-pawnee. Finalmente, la Estrella de la Mañana exigió a los hombres un sacrificio humano como retribución por sus esfuerzos (Murie 1913: 552; ver la versión del mito publicada por Dorsey 1997 [1906]: 38-41).

El sacrificio pawnee no era un ritual que simplemente escenificaba esta historia cosmogónica; más bien se trataba de un evento sumamente complejo donde muchas relaciones, políticas y sexuales, entraban en juego (Fletcher 1902; Linton 1926; Weltfish 1977 [1965]: 106-118; Wedel 1977; Murie 1981: 114-136; Del Chamberlain 1982: 60; Hall 1991). El andamio rectangular donde se ataba a la víctima femenina era un auténtico cosmograma que enfatizaba los contrastes temporales y espaciales, como día y noche, este y oeste, verano e invierno.

La forma de matar a la víctima era la siguiente: primero chamuscaban las axilas de la joven cautiva de guerra con antorchas ardientes, matándola con flechas y con un mazazo. Abrían el pecho de la muchacha y dejaban gotear la sangre sobre carne seca de bisonte (Linton 1926: 459; Murie 1981: 123). Según Henry R. Schoolcraft (1953-1957, 3: 49), estos pedazos de carne luego eran exprimidos encima de los campos de maíz.

Podemos reconstruir un tipo de fractalización o puesta en abismo: la joven víctima era la representante del poniente y de la estrella vespertina, pero su pintura corporal, roja (oriente) y negra (poniente), aludía a los mencionados contrastes espacio-temporales. También de los dos postes verticales del andamio se afirmaba que representaban el día y la noche. Por otra parte, tanto los cuatro maderos de la escalera, como las esquinas del rectángulo representaban los puntos solsticiales, los que se asociaban con los cuatro animales aliados con la diosa de la estrella de la tarde, y con los cuatro pueblos principales de la confederación skidi que se turnaban el gobierno en intervalos de seis meses.

Los maderos de la escalera del andamio eran de cuatro diferentes árboles: álamo, negundo, olmo y sauce. En este mismo orden, correspondían a los pueblos blanco, rojo, negro y amarillo. El único madero horizontal, colocado por encima de la cabeza de la víctima, representaba al cielo. Por cierto, las cuatro maderas de los escalones eran los mismas que se usaban en la construcción de la choza (*earthlodge*) pawnee, además de que correspondían a cuatro estrellas, que no han sido identificadas astronómicamente por los etnólogos. El álamo, la estrella blanca y el Suroeste, así como el negundo, la estrella roja y el Sureste correspondían al verano. El olmo, la estrella negra y el Noreste, así como el sauce, la estrella amarilla y el Noroeste correspondían al invierno (Fletcher 1902; Lévi-Strauss 1994 [1962]: 205).

El simbolismo de las cuatro maderas parece haber sido de gran importancia para los skidi, sobre todo por la gran ceremonia de los cuatro postes durante la cual se confirmaba la unidad de la confederación skidi (Murie 1981: 107). Para el análisis del sacrificio de flechamiento llama la atención que el andamio que representaba a la víctima y sus aliados, también representara al poniente y a los cuatro pueblos del centro. Al parecer, también el dualismo cosmológico de los skidi era de carácter asimétrico, de manera que el poniente abarcaba el centro. Esto es confirmado por el detalle de la pintura corporal de la víctima que se refería a ambos extremos del tiempo-espacio, siendo ella, en un principio, la representante de extremo poniente o noche. Además, es importante mencionar que las casas skidi siempre tenían la entrada orientada hacia el este, de tal manera que el sol saliente de los equinoccios alumbraba el altar de la estrella de la tarde, ubicado en el extremo poniente.

En un nivel de análisis, el rito de flechamiento repetía lo que sucedía en el equinoccio. Por otra parte, la actuación y los destinos de los protagonistas marcaban un contrapunto a la realidad política que se vivía en la confederación de los pueblos skidi. Los cuatro aliados de la diosa derrotada se asociaban con los cuatro pueblos centrales de la confederación, pero el mazo utilizado para el sacrificio se guardaba en el envoltorio sagrado de la estrella de la mañana (Linton 1926: 459). Esto significa que los ejecutores del sacrificio representaban al pueblo de esta estrella, que se ubicaba "atrás del monte", en el oriente. Significativamente, se trata de uno de los pueblos periféricos de la confederación que no participaba en el mando. Dado que los gobernantes, aquí, se identifican con los derrotados y los dominados con los vencedores de la lucha cósmica, la ceremonia muestra las características de un ritual de inversión o de rebelión (Gluckman 1963).

Una fosa abajo del andamio representaba el jardín de la estrella de la tarde, ubicado en el poniente y considerado la fuente última de toda vida y fertilidad. Para la fiesta, la fosa se llenaba con carne de bisonte, la misma que después del sacrificio se llevaba como una ofrenda a las milpas. La sangre de la víctima caía a las plantas de "su jardín", que son la carne del principal animal de cacería y, a través de esta carne, la sangre caía también en las plantas de maíz.

Como muchos rituales de las praderas, se establece un vínculo entre la cacería y la guerra, las actividades masculinas por excelencia, y la agricultura, practicada por las mujeres. Aparentemente, se buscaba demostrar que el éxito en la subsistencia agrícola dependía de las actividades de los hombres que conseguían las víctimas para el sacrificio. La enemiga sacrificada se convertía en una bendición o un agente que propiciaba el crecimiento de las plantas cultivadas.

El sacrificio de flechamiento, *tlacacaliztli* en náhuatl, es una de las analogías más conocidas entre el México antiguo, las Praderas y el Sureste. En Spiro, Oklahoma, se encontró evidencia arqueológica de la existencia de esta práctica en tiempos precolombinos: la copa de concha nº 165 encontrada en el montículo Craig muestra guerreros que disparan flechas a una figura humana amarrada a un rectángulo (Phillips y Brown 1978: lámina 165).

Figura 28. Copa 165 de Spiro, con posible escena de flechamiento ritual. Dibujo de Acelo Ruiz basado en Phillips and Brown 1978, plate 165. En Reilly III, F. Kent, y James F. Garber (eds.) *Ancient Objects and Sacred Realms. Interpretations of Mississippian Iconography*, 2007: 46, fig. 3.4.a.

La tortura y el sacrificio de una víctima amarrada a un andamio o marco de madera fue documentado en grupos del Mississippi inferior, como los natchez y koroa del siglo XVII (Knowles 1940; Swanton 1910; 1911), pero las víctimas amarradas a un andamio no siempre se mataban a flechazos. Los koroa amarraban a sus víctimas a una especie de cruz de San Andrés y las quemaban con fierros calientes. Después les quitaban la piel de la cara (Penicault citado en Swanton 1911: 331). Los natchez practicaron un sacrificio parecido, quitando primero el cuero cabelludo (*scalp*) de la víctima, amarrándola después a un marco rectangular y torturándole con cañas ardientes hasta que moría (Knowles 1940: 55; cfr. Swanton 1946: lámina 83).

Figura 29. Prisionero amarrado en el andamio para el sacrificio humano natchez. Dibujo de Acelo Ruiz basado en Antoine Le Page du Pratz, Histoire de la Louisiane, 1785. Tomado de Johannes Neurath, "La iconografía del Complejo Ceremonial del Sureste y el sacrificio de flechamiento pawnee: contribuciones analíticas desde la perspectiva mesoamericanista". En *Por los caminos del maíz. Mito, ritual y cosmovisión en la periferia septentrional de Mesoamérica*, 2008: 192, fig. 4.14.

Como hemos discutido en otra parte (Neurath 2008b), muchos de los detalles del mito y del rito pawnee invitan a una comparación con el *tlacacaliztli* de los antiguos mexicanos. El mito de la lucha astral que dio origen al rito pawnee, recuerda, desde luego, las leyendas aztecas sobre Huitzilopochtli y mitos equivalentes sobre Mixcoatl y Quetzalcoatl. Todos estos héroes mesoamericanos luchan contra una fuerza numéricamente superior de enemigos, los 400 *huitznahua* o los 400 *mimixcoa*. Huitzilopochtli es una deidad solar, pero Mixcoatl y Quetzalcoatl representan a la estrella de la mañana; al igual que su contraparte skidi, todos ellos matan a sus parientes enemigos, entre los cuales destaca generalmente un personaje femenino, que es descuartizado (Huitzilopochtli contra Coyolxauhqui) o violado (Mixcoatl contra Chimalma) (Sahagún 1950-1982, 3: 4; Durán 1984, 2: 33; Tezozomoc 1987: 24; Lehmann 1938; Garibay 1985: 36f., 43, 113; Graulich 1974; 1981). Como lo demostró Graulich (1974; 1981; 1987), todos estos mitos de lucha cósmica deben considerarse "un tema con variaciones".

Según lo que informa fray Diego de Durán, sin duda la fuente principal sobre el *tlacacaliztli*, este tipo de sacrificio se celebraba en la fiesta de la diosa del maíz, Chicome Coatl, durante la onceava veintena, Ochpaniztli. De esta manera, se confirma la importancia de la pareja que es a la vez víctima del dios de la estrella de la mañana. Los tiradores se disfrazaban de Tlacuepan, Huitzilopochtli, el sol, Ixcoxauhqui y las "cuatro auroras" y "[...] tomaban sus arcos y flechas y luego sacaban los presos de guerra y cautivos, las manos extendidas y los pies abiertos, uno en un palo y otro en otro, atándolos a todos de aquella suerte muy fuertemente. Aquellos flecheros en hábito de estos dioses los flechaban a todos" (Durán 1984, 1: 140). Como lo señala Graulich, las cuatro auroras representaban el sol, la luna, el fuego y las estrellas (1999: 117).

El sacrificio prehispánico de flechamiento mesoamericano es documentado por varias fuentes pictóricas, como la *Historia Tolteca-Chichimeca* (Preuss y Mengin 1937) y los códices *Becker I*, *Porfirio Díaz*, *Fernández Leal*, *Tudela*, *Vaticanus A* y *Zouche-Nutall* (Broda 1970). Representaciones visuales del andamio con la presa amarrada también aparecen en muchos otros contextos, por ejemplo, en los relieves del *atlatl* de la colección del Museo Luigi Pigorini de Roma y en un *grafitto* encontrado en Tikal (Taube 1988). Entre los tzotziles de Zinancantán existe todavía una forma del sacrificio por flechamiento –un ritual dedicado a San Sebastián (Bricker 1982). El objeto que representa al corazón del santo (*k'olitsyo*) se amarra entre dos palos verticales de madera, tal como lo muestra el *Códice Zouche-Nutall* para el *tlacacaliztli*.

Durán establece una relación entre el sacrificio de flechamiento y el dios chichimeca de la caza: "los chalca no tenían otro modo de sacrificio; porque su dios era de la caza, siempre sacrificaron con flechas" (1984, 2: 147). Los chichimecas ("linajes de perro") eran los cazadores por excelencia del Posclásico mesoamericano del Centro de México y Mixcoatl era su líder o ancestro legendario. El también dios patrón de lugares como Tlaxcala y Huexotzingo, frecuentemente lleva los rasgos iconográficos de Tlahuizcalpantecuhtli, "El Señor del Alba", dios flechador de la estrella de la mañana. Mixcoatl, además, era considerado el inventor del fuego y el iniciador de la guerra ritual "florida" para obtener víctimas para el sacrificio (Garibay 1985: 36-37; cfr. Davies 1977; Graulich 1974; 1987: 170; Broda 1991a; Olivier 2015). El *tlacacaliztli* como rito dedicado a Mixcoatl o Tlahuizcalpantecuhtli correspondería muy bien a la concepción pawnee.

Figura 30: Tlacacalitzli. Códice Becker I, p. 10.

Los *Anales de Cuauhtitlán* (Lehmann 1938: 101-103) cuentan que el año 8 *tochtli*, durante el gobierno de Huemac, llegaron las Ixcuinaname –demonios femeninos huastecos– a Tula y flecharon allá (en el año 9 caña, veintena Izcalli) a dos de sus esposos, que eran cautivos de guerra obtenidos por ellas en la Huasteca. Ixcuina (probablemente "señora algodón" en huasteco), era otro nombre de Tlazolteotl, deidad que los mexicas consideraban una huasteca, a la vez que se identificaba con Toci, la madre de Huitzilopochtli (Sullivan 1982).

En su interpretación del sacrificio de flechamiento, Preuss resalta las palabras que dicen las Ixcuinanme a sus esposos prisioneros al llegar al lugar conocido como Cuextecatl ichocayan, "donde lloran los huastecos": "mandaron llamar a los prisioneros que habían obtenido en la Huasteca y les dijeron: 'Ahora los llevaremos a Tollan, con ustedes fertilizaremos la tierra, con ustedes organizaremos una fiesta. Puesto que nunca antes hombres han sido flechados. Nosotros haremos con esto el comienzo, los mataremos a flechazos'" (Preuss 1929: 828). En este pasaje de los *Anales* se puede observar que "la expresión 'con ustedes fertilizaremos la tierra' (*amoca tlaltech tacizque*) es equiparada con las palabras 'los mataremos a flechazos'. [...] se puede concluir que las diosas de la tierra tenían una relación de parentesco con sus víctimas, a pesar de que fueran ellas mismas quienes les trajeron la muerte". Aquí, nuevamente, estamos frente una situación que permite plantear la existencia de lo que se ha llamado "alteridad constituyente", enemigos o víctimas de cacería que se identifican con parientes "afines" (ver también Olivier 2015).

Ya Preuss señaló que es común que los ritos sacrificiales mesoamericanos muestran ambivalencias de este tipo:

> En vista de que las diosas de la tierra, la luna y el maíz de los *Anales* [*de Cuauhtitlán*] fertilizan la tierra con sus propios esposos, ellas mismas deben ser la tierra que es fertilizada. De hecho, la posición de los flechados en el andamio con los brazos y piernas extendidos es la misma que Sahagún atribuye a la diosa de la tierra Tlazolteotl, cuando ésta [es decir, su representante en la fiesta Ochpaniztli] se para al pie de la escalinata de la pirámide del dios solar Huitzilopochtli, concibe al dios del maíz y lo da a luz: "Ella se estira, estira los brazos y las piernas". Los prisioneros, que deben fertilizar la tierra, no son entonces en modo alguno los que fertilizan, sino que son ellos mismos fertilizados por medio del flechamiento (Preuss 1929: 828-829).

El pasaje de *Leyenda de los Soles* donde se relata cómo la diosa de la tierra literalmente fue cazada por Mixcoatl y obligada a desposarse con él (Lehmann 1938: 363-365), es una escena matrimonial inversa a la narrada en el caso de las Ixcuinanme. Pero, al parecer, también ahí existe una ambivalencia donde no siempre queda claro quién es el sacrificado y quién el sacrificador. Según Seler (1902-23, 3), una representación en los murales de Mitla permite suponer que Chimalma, la esposa-presa del cazador Mixcoatl, también se identificaba con los venados bicéfalos que, en un episodio anterior de la *Leyenda*, son perseguidos por los *mimixcoa* Xiuhnel y Mimich y que, de noche, se transforman en mujeres antropófagas e invierten la cacería (Lehmann 1938: 358-361; Graulich 1987: 170-178).

En lo que se refiere al culto al planeta Venus, no sabemos si los skidi consideraban que las estrellas de la mañana y de la tarde eran dos aspectos de un mismo astro o no, pero queda claro que el antagonismo entre las estrellas de la Mañana y de la Tarde expresaba la relación entre el bisonte, como principal animal de cacería, e identificado con el ámbito masculino, por un lado, y la milpa y el ámbito femenino, por el otro. Los dioses de la estrella de la mañana y de la tarde formaron la primera familia de cazadores-guerreros y agricultoras: después de la subordinación de la diosa, se estableció una alianza y la cooperación con fundamento en la división sexual del trabajo. Sin embargo, más allá de la polaridad de géneros, el rito pawnee también establece una identificación entre la carne de bisonte y las plantas en el "jardín" de la estrella de la tarde. La diosa de la agricultura, como víctima del sacrificio de *flechamiento*, se identificaba con la presa de la cacería, el bisonte. En resumen, se trata de una serie de identificaciones con un argumento de naturaleza circular: la dueña de la milpa es un bisonte y el bisonte es maíz.

La identificación de la carne del bisonte con el maíz, en un contexto de violencia ritual dirigida contra la representante de la agricultura, significa que la violencia de los cazadores o guerreros sirve para fertilizar la milpa –flechar a los búfalos o a los enemigos provoca que la dueña de la milpa produzca maíz y "crea el mundo". Sin duda, el carácter venusino de ambos protagonistas facilita estas series de identificaciones antagonistas o "condensaciones rituales". El rito se realiza en un ámbito de inversión, donde la víctima representa el poder político. En la realidad extra-ritual, el cazador y su pueblo periférico deben subordinarse y respetar la estructura expresada por el cosmograma, en cuyo centro reside la diosa-bisonte que controla la fertilidad de los jardines.

4. O-kee-pa y las danzas del Sol

¿Y qué podemos decir sobre la complejidad ritual entre los antiguos pobladores del Alto Missouri? Algunos rituales de esta periferia de la región también están bastante bien documentados, en especial las ceremonias de iniciación que, genéricamente, se conocen como las "danzas del Sol" y fueron practicadas por numerosos grupos de las Praderas. Claramente, estamos más allá de lo que se considera los límites de la cultura del Sureste, pero las etnografías suficientemente detalladas nos permiten entender la complejidad relacional de los rituales en tradiciones que habían sido por lo menos influenciadas por las antiguas civilizaciones de la Cuenca del Mississippi.

La "ceremonia de la Cabaña de Sacrificio (*Offering Lodge*)" de los arapaho es una de las variantes de este ritual que fue particularmente bien documentada (Dorsey 1903). Aquí el etnógrafo aclara que se escenifica el descenso del cielo a la tierra de una mujer y su niño por medio de una cuerda. Se trata de una mujer de origen terrestre que se casa con un astro pero, después de malas experiencias o debido a la nostalgia por el lugar de origen, abandona a su "marido-estrella" para volver a la tierra. La cuerda resulta demasiado corta, así que la mujer no alcanza el suelo y permanece suspendida en el aire. Se cae a la tierra y únicamente su hijo sobrevive. Criado por una señora vieja, esposa de un monstruo acuático, el niño se convierte en un gran aniquilador de monstruos y, al final del mito, se convierte en la Estrella de la Mañana (Dorsey 1903: 212-228; cfr. Lévi-Strauss 1992 [1968]).

Al escenificar o revivir mitos de este tipo en los rituales de la Danza del Sol, jóvenes guerreros de diferentes grupos de las Praderas perforan sus músculos pectorales y se suspenden desde un palo largo o del techo de una casa ceremonial, escenificando el descenso del héroe celeste. Permanecen colgados en el aire hasta que sus músculos se rompen. Aparentemente, se identifican con el héroe venusino que sobrevive la caída, pero también se sabe que no todos los jóvenes sobrevivieron este doloroso rito iniciático.

La relación ambigua con los dioses celestiales parece ser un tema central. Se usa una cuerda que ritualmente une cielo y tierra, pero ésta no es suficientemente larga y al final la conexión se rompe. Hay una paradoja ritual interesante: los jóvenes iniciantes se suspenden del techo de la casa ceremonial por medio de cuerdas para obtener visiones y establecer contacto con los dioses. Al mismo tiempo, en la lógica del mito escenificado, los iniciantes están suspendidos en el cielo, pero deben romper este vínculo con los seres celestiales. En un proceso que, nuevamente, podemos caracterizar como "condensación ritual", simultáneamente se rompen y se establecen relaciones con los dioses.

Aparentemente, no todos los grupos que practicaban la Danza del Sol relacionaban este rito con el mito del "marido estrella", pero el elemento de las cuerdas que conectan el cielo y la tierra aparece en la iconografía del Complejo Ceremonial del Sureste, aunque no podemos saber exactamente de qué ritos se trata. En el pectoral 126 de Spiro, las cuerdas cuelgan de un elemento iconográfico que puede interpretarse como Sol, así que no solamente recuerdan representaciones mesoamericanas de cuerdas, sino que pueden relacionarse con los rituales tipo Danza del Sol.

La fiesta O-kee-pa –"Imitación" [de los bisontes]– de los mandan es una variante muy elaborada de la danza del Sol, pero también se escenifican otros episodios de los mitos cosmogónicos, como la historia del primer hombre y el fin del diluvio. *O-kee-pa. A Religious Ceremony and Other Customs of the Mandan* del explorador y artista George Catlin es un clásico de la etnografía estadounidense temprana. En este libro, ilustrado por él mismo, Catlin presentó información muy detallada sobre los mandan del Alto Missouri, pero tan extraña para los lectores de su época, que algunos lo tacharon de mentiroso y mitómano. Incluso Alexander von Humboldt tuvo que salir a la defensa de Catlin (John 2004: 616). Hoy nos interesa la complejidad ritual, que se deja reconstruir a partir de las descripciones. Lo que hace que el ritual parezca tan extraño son las ambigüedades en la relación con los seres de la alteridad que se expresan.

La casa ceremonial donde se realizaba la Danza del Sol representaba también la montaña donde el adversario del Primer Hombre había encerrado a los bisontes para provocar que los mandan se murieran de hambre. Una Danza de Bisonte representaba la liberación de los animales. Ocho jóvenes personificaban a bisontes específicos, que anteriormente debían haber aparecido en visiones. Otros danzantes representaban a osos, lobos, antílopes, castores, águilas, cisnes y serpientes de cascabel, imitando los movimientos de todos estos animales. Un grupo grande de danzantes portaba pinturas corporales multicolores. Un personificador del "espíritu maligno" o "loco" Oxinhede trataba de perturbar la fiesta. Primero le daban ofrendas, pero al final era vencido por un grupo de mujeres. Le aventaban lodo, lo golpeaban, le quitaban su vara ritual fálica y lo llevaron afuera del pueblo, hacia la Pradera. Como recompensación, cada una de las mujeres podía tener sexo con un hombre de su elección (Catlin 1968 [1867]; Lévi-Strauss 1992 [1968]: 262; láminas 1-2; Gugel 2000: 220-223).

Las Danzas del Sol son parte de un complejo macroregional de la búsqueda de visiones que, en diferentes formas, se practicaba en muchas partes de Norteamérica (Hultkrantz 1967; Walker 1991; Feest 1998). No solamente se buscaba un contacto efímero con seres no-humanos o de la alteridad. Muchas veces, experiencias obtenidas se plasmaban en artefactos, como los *visionary skin paintings* que se realizaron sobre objetos de piel como escudos o *tipis* de las Praderas (Feest 1980: 53-54; Feest 2000: 459) o sobre algunos abrigos de piel de los grupos del Subártico norteamericano (Lührmann 2000: 86).

Figura 31. Cutting Scene durante el ritual O-kee-pa. (Dibujo de Nora Rodríguez Zariñán).

¿Podrían algunos artefactos del Complejo Ceremonial del Sur entenderse como equivalentes de las pinturas visionarias de las Praderas? A diferencia de muchas otras regiones de las Américas, incluyendo el Amazonas (Descola 1996; Taylor 2003) y Mesoamérica (Miller y Schele 1986), California, las Grandes Praderas y en las Tierras Boscosas del Noreste de Norteamérica (Feest 1986; 1998; 2000; Hultkrantz 1967), la búsqueda de visiones (*vision quest*) no es una práctica tan bien documentada en el Valle del Misissippi y el Sureste de Norteamérica. Pero no deberíamos descartar su importancia, ya que la búsqueda para establecer contacto con seres de la alteridad y fijar estas experiencias en imágenes duraderas podría ser una clave para analizar la iconografía compleja y fantástica del Sureste. Hay una cita interesante sobre la religión de los iroquois seneca de la región de los Grandes Lagos. Un misionero, el Padre Femin, aseguraba en 1668 que los seneca "únicamente tienen una deidad –el sueño" (citado en Feest 1998: 116). Esta afirmación es probablemente una exageración, pero también es evidente que es algo que vale para caracterizar muchas religiones amerindias, por lo menos hasta cierto punto. Muchas tradiciones artísticas se entienden, por ende, mejor si las ubicamos en un contexto donde se fijan ciertas experiencias oníricas o visionarias. Más que con sistemas iconográficos establecidos y bien codificados, la complejidad de las figuras podría relacionarse con la ambigüedad en las relaciones que se viven en la interacción entre las personas y los seres de la alteridad. El arte del Complejo Ceremonial del Sur podría ser un caso idóneo para este tipo de interpretación.

V. El sacrificio de un cuchillo de sacrificio

Finalmente, veremos ejemplos del México Antiguo donde se puede combinar los diferentes aspectos de nuestro temario: el estudio de la condensación ritual y de la identificación antagonista, tanto en los ritos, como en las reflexiones sobre el poder y la agentividad de las imágenes. Analizaremos casos donde se observa un "desdoblamiento de la representación" en el sentido de Boas y Lévi-Strauss: la estatua conocida como la Coatlicue de la Sala Mexica del Museo Nacional de Antropología y la página 32 del códice Borgia. En ambos casos el desdoblamiento de la representación aparece en contextos de decapitación ritual; aparece una nueva cabeza *en face* formada por dos serpientes de sangre o por dos cuchillos de sacrificio personificados en perfil. La ambigüedad de estas figuraciones expresa el estatus ontológico problemático de los seres creados en el sacrificio.

Se analizan, entonces, imágenes de rituales sacrificiales. Constatamos una fuerza expresiva que es asombrosa. La sofisticación artística corresponde, como suponemos, a una complejidad en nivel de las relaciones rituales que quisiéramos conocer más. Observamos varios aspectos formales que son de gran interés: fractalización o recursividad auto-similar, transformación rizomática, desdoblamiento de la representación. El tema se presta para reflexionar sobre la agentividad o el poder de las imágenes, tema de gran importancia tanto en historia del arte (Freedberg 1992; Belting 1994; 2006; Mitchell 2005) como en antropología (Gell 1998; 2016; Severi 2010). Siguiendo sobre todo a Severi, nos interesa problematizar la dicotomía entre imágenes representativas y aquellas con poder propio. Como lo hemos hecho en un libro reciente sobre el arte huichol (Neurath 2013), nos interesa la complejidad ontológica de las imágenes rituales que se relaciona con su carácter reflexivo y se expresa en ambigüedades de la figuración. El ejemplo principal es, aquí, una página de un manuscrito pintado del Posclásico mesoamericano, Códice Borgia 32, donde se destaca la escena de una persona-cuchillo de que es sacrificada.

1. La autonomía de los utensilios

En el arte prehispánico mesoamericano abundan los ejemplos de utensilios antropomorfizados y, como suponemos, animados, porque hablan, cantan o llevan a cabo algún tipo de acción ritual y, de cierta manera, interactúan con otros participantes rituales. Ollas y metates, cuchillos y flechas, braseros y sahumerios, instrumentos musicales, equipamiento del juego de pelota, piezas de vestimenta, sillas, casas y templos no son simplemente accesorios, sino protagonistas del ritual. Por otra parte, muchos de los personajes que, comúnmente, se conocen como "dioses" son artefactos personificados. Tlaloc *es* una gran olla llena de agua, Xiuhtecuhtli *es* el brasero, Tezcatlipoca *es* el espejo, Chicomecoatl *es* la casa habitación, Itztli *es* el cuchillo. Todos estos instrumentos no son parte de la parafernalia o atributos de los dioses, sino *son* los dioses. A diferencia de los que conocemos de las iconografías grecolatinas y cristianas, donde los personajes sostienen "atributos" que sirven principalmente para identificarlos y para recordar algún episodio de sus leyendas, en Mesoamérica los seres poderosos son sus propios instrumentos. Como tales, pueden amenazar, atacar, devorar y enfermar o, más bien, proteger y defender a los seres humanos. Aunque habría que aclarar que seres que parecen amenazantes no necesariamente son peligrosos. En Cancuc (Chipas) Pitarch ha documentado la creencia en una clase de espíritus o "almas" (*lab*) que son culebras inofensivas de agua dulce con cabezas de instrumentos de metal: la serpiente-machete, la serpiente-hacha, la serpiente-sartén, etc. (Pitarch 2010: 43).

Retomando la discusión iniciada por Santos-Granero y sus coautores (2009) sobre Amazonia, queremos indagar sobre la importancia de los artefactos animados en Mesoamérica, contrarrestando también el énfasis muy fuerte en los animales antropomorfizados que, en el contexto del denominado Perspectivismo o Multinaturalismo, se ha dado en la antropología amerindia de las últimas décadas. A diferencia de lo que sucede en las Tierras Bajas Sudamericanas, el tema de los artefactos con agentividad propia que atacan a los humanos es algo muy conocido entre los mesoamericanistas. Se expresa claramente en el *Popol Vuh* (Tedlock 1985), una fuente colonial maya quiché que es de las más usadas por los especialistas de los mayas y del México Antiguo. Pero la famosa "revuelta de los artefactos" es un tema que existe en la mitología de muchos grupos amerindios (Salomon y Urioste 1991; Quilter 1990; Allen 1998; Lévi-Strauss 1976: 385; Brotherston 1992: 222; Santos Granero 2009: 3).

Hay otro antecedente importante donde se ha argumentado que los instrumentos rituales sean seres poderosos con voluntades propias. Konrad Theodor Preuss documentó este tipo de creencias y prácticas en su expedición al Gran Nayar de los años 1905-7 (Preuss 1912; 1998). En los textos rituales registrados por

Preuss en las lenguas indígenas originales, objetos como varas y flechas hablan y actúan como personas, al mismo nivel que otras deidades zoo o antropomorfas (Preuss 1998: 268, 393-395). Según la mitología, las flechas, jícaras y las otras cosas que se ofrecen en los rituales eran originalmente propiedad de los dioses, que las trajeron cuando emergieron del inframundo u océano original en el poniente. La tarea de los hombres consiste en renovarlas (Preuss 1998: 183). "Los dioses necesitan estos objetos para mantener funcionando el mundo" (Preuss 1998: 183). De esta manera, en el Gran Nayar, la tarea del hombre es renovar a las herramientas de los dioses y, así, se renuevan los dioses mismos (Preuss 1998: 107; cfr. Neurath 2007).

Como vimos, fue en diálogo con las ideas del entonces influyente filólogo clásico Hermann Usener (1896), que Preuss elaboró una teoría sobre el origen y la evolución de las religiones (1914), donde ciertos dioses de una fase relativamente "temprana" se caracterizan como *Tätigkeitsgötter*, "dioses de las actividades", deidades que son herramientas con personalidad propia, como ollas, machetes, hachas, azadones y martillos (Preuss 1914: 49). Aquí no se trata de insistir en teorías "victorianas" o "guillerminas" sobre el origen de la religión. Lo que importa es que Preuss ya se fijó en temas como la subjetividad o agentividad de los objetos-dioses, donde artefactos actúan como seres hasta cierto punto independientes de sus creadores.

Retomando las discusiones iniciadas por Santos-Granero, pensamos que considerar que los instrumentos poseen subjetividad propia no debe verse como algo que esté en conflicto con el estudio de los animales en relación con el hombre. En toda la América indígena, artefactos, animales y personas son a veces muy cercanos, y pueden transformarse el uno al otro. Els Lagrou explica, por ejemplo, que el tipiti es un artefacto para exprimir la mandioca que comparte con la boa esta capacidad de compresión y, precisamente, es eso lo que se quiere que el objeto haga con la pasta de mandioca. Hasta cierto punto, el tipití es una boa, sin embargo, no tiene cabeza ni cola. Es necesario que el artefacto sea incompleto para no correr el riesgo de su posible transformación completa y no controlada en boa (Lagrou 2017). En otros casos, se realizan rituales que transforman espíritus animales peligrosos (*apapaatai*) en artefactos más inofensivos o mejor controlables (Barcelos Neto 2009). Artefactos animados, finalmente, también pueden entenderse como expresiones y personificaciones de relaciones entre humanos y/o agentes de toda índole, tema que se ha estudiado, sobre todo, en Melanesia (Strathern 1988; Battaglia 1990; ver también Taylor 2003).

Por otra parte, como aclara Santos-Granero (2009: 9), no siempre todos los artefactos son agentes. También en las ontologías multinaturalistas hay objetos que son simples instrumentos. Es sobre todo en contextos rituales específicos que artefactos determinados tienen agentividad (Santos-Granero 2009: 10). Muchas veces, el estatus ontológico de los objetos es incierto. En este punto, conviene retomar lo que hemos planteado en relación con el tema de la ontología de las imágenes del arte huichol (Neurath 2013). Algunas imágenes sí son representaciones, otras son presencias no mediadas de seres poderosos. Tendencialmente, la vitalidad de las imágenes oscila entre insuficiente y excesiva. Sea como sea, siempre hay problemas con los artefactos animados. Conviene cuestionar no solamente la semiótica y la iconografía, sino también al denominado *iconic turn* (Moxey 2013; Wolf 2016).

Mi trabajo sobre el poder de artefactos e imágenes se inserta, además, en un debate sobre las nociones de vida que, recientemente, ha comenzado entre algunos mesoamericanistas (Pitrou, Valverde y Neurath 2011; Pitrou 2015). Se ha insistido, entre otras cosas, en la importancia de estudiar las etnoteorías indígenas sobre la vida, los seres vivos y los procesos vitales, la fabricación y domesticación de lo vivo, así como la imbricación entre procesos técnicos y vitales (Pitrou, Coupaye y Provost 2016). Asimismo, se ha criticado a los estudiosos del animismo y de la agentividad por no tomar en cuenta la diversidad de las nociones de vida y la complejidad que adquieren estos temas cuando se estudian más a fondo y desde el punto de vista indígena.

La iconografía del arte prehispánico mesoamericano muestra que son muchos los artefactos que, aparentemente, están dotados de agentividad. Observamos cuchillos que muerden, puertas que devoran, ollas que muestran sus colmillos, trípodes con garras de jaguar. Lamentablemente, en un estudio arqueológico no se puede aplicar el mismo rigor conceptual que se exige en etnografía. Por ejemplo, no siempre vamos a poder diferenciar claramente entre animicidad, vida, poder, agentividad y existencia de una subjetividad propia. Lo más probable es que existía una gama amplia de posibilidades. Entre los mayas clásicos es donde mejor se pueden estudiar temas como la vida de artefactos como estelas, de las unidades de tiempo y de los textos jeroglíficos mismos. Grube (1998) explica que en la lógica maya las estelas y cerámicas efectivamente hablaban, por eso se utilizaron ciertas partículas gramaticales claramente identificables en los textos jeroglíficos. Él concluye: "Las estelas fueron entendidas como seres animados, conteniendo una esencia vital que hace posible que las piedras hablen" (ver Zamora 2015: 44). Stuart (2012) ha publicado sobre la animicidad de las unidades calendáricas y demuestra que con el paso del tiempo disminuía la vitalidad de las unidades mayas del tiempo. En un libro reciente, Houston (2014) presenta un estudio exhaustivo sobre la vida, la agencia y la personalidad propia que tienen lo que supondríamos serían los "medios" del arte y de la escritura mayas, las diferentes materias primas para elaborar piezas de toda índole, así como los signos de la escritura. También en el centro de México, se puede argumentar que los medios de escritura (códices) eran seres animados (Díaz 2016).

Por la naturaleza de los materiales arqueológicos y de las fuentes escritas, en muchas culturas prehispánicas no contamos con información detallada sobre estos temas. Muchas veces nos tenemos que limitar a especular a partir de lo que conocemos de la etnografía. Aunque en ningún momento queremos negar las diferencias abismales que puede haber en relación con las sociedades mesoamericanas de hoy, creemos que vale la pena reflexionar sobre aspectos de las culturas prehispánicas, sobre las relaciones entre seres vivos y artefactos, y la imbricación de procesos técnicos, rituales y vitales, a partir de conceptos establecidos por la antropología de pueblos amerindios.

Aunque desconozcamos muchos detalles de las nociones prehispánicas, es bastante claro que abundan los objetos rituales animados o dotados con poder y/o agentividad. En lo siguiente, analizaremos una lámina de un códice prehispánico del Altiplano Central de México, Códice Borgia 32, en cuyo centro se destaca una figura antropomorfa con iconografía del dios cuchillo Iztli. Al ser esta persona decapitada, nace otro ser, que se compone de dos cuchillos, también antropomorfizados, pero en un grado mucho menor, y que conforman una cara algo irreal o fantasmagórica *en face*.

La persona-objeto de esta lámina no parece ser simplemente un artefacto animado más. Hay un proceso ritual de generación de vida. De hecho, la imagen en cuestión nos lleva a una reflexión sobre la relación entre seres con grados distintos de antropomorfización, entre agentes humanos que personifican instrumentos e instrumentos antropomorfizados, entre víctimas y seres que nacen como resultado de la acción sacrificial. El sacrificio que propicia la producción de vida es un tema clásico de la etnografía mesoamericana (Monaghan 1990; Galinier 2004; Déhouve 2007; Neurath 2008a; Pitrou 2011) y, sin duda, hay algo de esto en la lámina que estudiamos del Códice Borgia. Se ve claramente que la víctima no se muere simplemente al ser sacrificada, pero ¿qué es lo que pasa con ella?

2. Una escena enigmática del Códice Borgia

Seler dice en su comentario al Códice Borgia (Seler 1904: 10), que la página 32 de este manuscrito pictórico no simplemente expresa “el cortar, el descuartizar, el arrancar pies, el cortar cabezas”, sino que todos los detalles tienen su significado particular. Pero tal vez no sería tan equivocado hacer esta afirmación, solamente habría que enfocarse más en la complejidad relacional implícita de estas acciones aparentemente sencillas mencionadas por Seler.

Dentro de un recinto rectangular de color rojo sangre, formado por paredes negras llenas de cuchillos, observamos una figura, en un principio antropomorfa, decapitada, y con cuchillos de piedra colocados en diferentes partes de su cuerpo. Según Eduard Seler, el personaje se puede identificar como Iztli, el "dios del Cuchillo" (Seler 1904: lám. 32). El mesoamericanista alemán aclara, además, que se trata de una mujer en posición de parturienta (Seler 1904: 10). La atribución de género parece ambigua. Por un lado, el personaje carece de senos, falda y otros rasgos que, en los códices mesoamericanos, indican el sexo femenino, pero sí hay una referencia clara al acto de dar a luz. El personaje está sentado dentro de un recipiente, tal vez un *cuauhxicalli*, hecho de hueso, que puede considerarse otro elemento relacionado con la (re)generación de vida (Olivier, 2015: 348).

El par de cuchillos colocados en el cuello indica la decapitación, pero aquellos que se ubican sobre las articulaciones y en el pecho no lastiman al personaje, más bien muerden o cortan a una serie de figuras antropomorfas diminutas que parecen emerger de las bocas de estos mismos cuchillos. En resumen, se trata de un cuchillo de sacrificio que es o fue sacrificado. No se ve quién es el sacrificador. Todo sucede dentro de un recinto cerrado con paredes llenas de cuchillos. Este espacio está rodeado por otros ocho cuartos más.

En el Posclásico, la personificación antropomorfizada del cuchillo de pedernal (*tecpatl*) no es nada rara. Ejemplos se ven no solamente en los códices, también en materiales arqueológicos, como los cuchillos que se encontraron en las cajas de ofrenda del Templo Mayor. Muchos de estos cuchillos tienen caras del dios Tlaloc (Broda 1987: 245), como se ve también en algunas de las figuras laterales del Borgia 32. Recientemente se han encontrado cuchillos vestidos y ataviados con conchas y huesos de oro (Chávez, Aguirre, Miramontes y Robles 2010). En términos del animismo planteado por Descola (2012), es viable afirmar que estos cuchillos efectivamente sean seres animados, cuando muestran su interioridad humana. Muchas veces el "alma" o la interioridad humana del cuchillo se asoma por la boca del instrumento personificado (ver, por ejemplo, Codex Telleriano-Remensis 23v). La persona-cuchillo del Borgia 32 es muy elaborada y, hasta cierto punto, atípica. Se puede decir que es "más antropomorfa" que otras personas-cuchillos que aparecen en los códices o en las ofrendas. Además, se trata de una figura humana que tiene la pintura corporal rayada correspondiente a las víctimas del sacrificio.

El personaje central se multiplica. De sus articulaciones (de ambas garras, ambos brazos, ambas piernas, del pecho o corazón y del cuello), surgen o "nacen" pequeños dioses, ocho en total, la mayoría con rasgos de Tezcatlipoca, es decir sin un pie. Dos de ellos tienen dos pies, pero no tienen cabeza, mientras que la figura que nace del cuchillo del pecho o corazón se identifica como Quetzalcoatl o Venus, como Estrella de la Mañana (Seler 1904: 10; Boone 2007: 185), y vuelve a aparecer en la salida del recinto. En los ocho cuartos pequeños, también se observan ocho personajes, todavía un poco más diferenciados: cuatro Tezcatlipocas que, según Seler (1904: 12), corresponden "naturalmente" a los cuatro rumbos, así como dos dioses-cuchillo con cara de Tlaloc y dos figuras de Tlaloc vestidas como guerreros águilas.

Posiblemente, lo que vemos es el proceso de producir un gran número de cuchillos o navajas a partir de un núcleo de piedra. No podemos estar seguros, pero de todas las interpretaciones que se han hecho de la imagen, es la más convincente. La decapitación y el desmembramiento indicarían, entonces, que este proceso es vivido como un sacrificio. El proceso técnico está imbricado con un ritual sacrificial que genera diversidad y vida.

Figura 32: Códice Borgia 32 (https://es.wikipedia.org/wiki/Archivo:Codex_Borgia_page_32.jpg)

Considerando que esta interpretación es la más obvia, vale la pena que recordemos brevemente lo que se ha dicho sobre esta lámina. Según Seler (1904), esta página es parte de un capítulo que comprende las páginas 29-46 y trata un viaje de una deidad astral (Venus) a través de recintos subterráneos, es decir, del inframundo. Un argumento a favor de la hipótesis de Seler la ofrece el *Popol Vuh* (Tedlock 1985: 43). Durante sus aventuras en Xibalba, los héroes tienen que permanecer una noche en un cuarto con paredes llenas de cuchillos insaciables. A diferencia de otras interpretaciones de Seler, esta no es muy aceptada por el gremio de los mesoamericanistas. Nowotny, sobre todo, es muy explícito en su crítica del "entusiasmo mitológico-natural" de principios del siglo XX que no pudo darse cuenta de que estas láminas tratan de una serie de rituales de templo (Nowotny 1961: 248).[1] Anders, Jansen y Reyes García (1993) continúan sobre esta línea de investigación, mientras que Boone (2007: 173-174, 185) propone una lectura en términos de la mitología cosmogónica mexica: la diosa que parió un pedernal (Mendieta 1997: 181) y los dioses Tezcatlipoca y Quetzalcoatl, que en este caso no nacen de la pareja original –como lo narra la *Historia de los Mexicanos por sus pinturas* (Garibay 1985: 23)–, sino de este pedernal. Milbrath (2007, 2013) ofrece una discusión de todas las interpretaciones hasta ahora presentadas sobre Borgia 29-46 y propone una nueva teoría astral, basada en diversos simbolismos planetarios y en la identificación de la página 40 del códice como la representación de un eclipse solar ocurrido en 1496. Nos damos cuenta de que los mesoamericanistas no se destacan por buscar interpretaciones sencillas. Pero, en lugar de forzar las interpretaciones y diferenciar tajantemente entre contenidos míticos y rituales, más bien, debemos partir de la imagen ritual, tal como se presenta y, ahora sí, enfocarnos a entender las complejidades y polisemias que pueden estar en juego.

Según K. A. Nowotny (1961: 249), se trata de "algún misticismo relacionado con la decapitación de víctimas" (*irgendein Mystizismus, der sich auf geköpfte Opfer bezieht*). Notablemente, la decapitación también se representa en las figuras menores de los ocho recintos que rodean el principal. Estos personajes de iconografía variada (cuatro Tlalocs, dos con cabezas de cuchillo, dos emergiendo de cabezas de águila, así como cuatro Tezcatlipocas), cargan cabezas humanas cortadas. Las cabezas pertenecen, posiblemente, a los dos pequeños personajes con dos pies, pero sin cabeza, que emergen de las garras del personaje principal. La deidad del Cuchillo es sacrificada, pero también recibe cabezas humanas como ofrendas.

---

1 También Nicholson (1973: 359) señala que Seler, en sus últimas décadas, se inclinaba cada vez más hacia las especulaciones astromitológicas entonces en boga en Alemania (ver también Díaz 2014: 96, nota 7).

En general, en Mesoamérica, la decapitación se considera un ritual asociado a diosas femeninas-telúricas y a la propiciación de fertilidad (Seler 1904; Graulich 1982; cfr. Moser 1973: 49). Las cabezas cortadas se identifican con calabazas, mazorcas u otros frutos. Olivier señala en su más reciente libro que entre los sacrificadores o cazadores mesoamericanos y las cabezas de las víctimas decapitadas se producían relaciones complejas y multiplicaciones de la persona (Olivier 2015: 647), comparables con lo que se ha documentado en Norteamérica (Bahr *et al.* 1979) y Amazonia (Descola 1996; Taylor 2000, 2006). Pero aquí se decapita un cuchillo, una escena que, dentro del corpus de imágenes mesoamericanas, no es común.

La imagen muestra que, en Mesoamérica, transformación y multiplicación de la persona pueden suceder simultáneamente. Las figuras se transforman, sobre todo, en sí mismas, como en el ritual umeda estudiado por Gell (Strathern 2004: 82), o bien, en figuras ligeramente distintas. Se producen configuraciones auto-similares, que podemos analizar con Roy Wagner (1991), quien en sus estudios sobre Melanesia describe que "la persona y la colectividad melanesios se desenvuelven y perciben a sí mismos a la manera de fenómenos fractales, en cuanto que representan entidades interdependientes que se manifiestan de manera singular y múltiple, *indistintamente de las diferentes escalas de percepción y acción en las que operan*" (Mondragón 2009: 5 [cursivas del autor]). Como se entiende a partir de los trabajos de los oceanistas Wagner (1991), Marilyn Strathern (2004), Alfred Gell (1998; 2016) Mark Mosko (2010) y Carlos Mondragón (2009), fractalizaciones de este tipo, cuando se observan en el arte, tienen que ver con la distribución de la agentividad entre los protagonistas de los rituales y, por ende, también con el poder de los artefactos e imágenes involucrados, que expresan y materializan las relaciones entre las partes fractalizadas de las personas. Se producen imágenes que crean imágenes (Strathern 2004: 81), y se producen personas que "ni son singulares, ni plurales" (Wagner 1991: 162).

También se puede apreciar que la metamorfosis es mutua, rizomática en el sentido de Deleuze y Guattari (2006), en ambas direcciones: *a* se transforma en *b* y *b* se transforma en *a* (cfr. Luna 2013). Un cuchillo de sacrificio personificado y decapitado se transforma en una multitud de pequeños Tezcatlipocas. Al mismo tiempo, el pie de uno de los Tezcatlipocas se transforma en un cuchillo.

En los códices del Posclásico mesoamericano es común que los cuchillos personificados muerdan los pies de figuras humanas. Por ejemplo, en la página 2 del Códice Féjerváry-Meyer observamos como un cuchillo con cara humana muerde el pie de un presunto Tezcatlipoca. En este caso, no se trata de un cuchillo de pedernal, sino de uno de obsidiana, *iztli*, en su función del segundo en la serie de los nueve señores de la noche. Notablemente, en la iconografía ritual prehispánica de Mesoamérica puede observarse una ambivalencia entre dos tipos de cuchillo, *iztli* y *tecpatl*. Según Graulich (1983), Miller y Taube (1993: 88, 185) y Olivier (2003: 108-110), el cuchillo de obsidiana, *iztli*, es un instrumento filoso apropiado para sangrarse (practicar el autosacrificio) y, posiblemente, para decapitaciones rituales. *Tecpatl*, el pedernal, es para hacer fuego y, como es más duro, sirve también para realizar las cardioectomías (sacrificios de corazón).

En Borgia 14, el cuchillo no muerde: *es* el pie de Tezcatlipoca. Nowotny (1961: 26) opina que el dios *emerge* de un cuchillo. Lo que vemos en Borgia 32 es la combinación de todas estas iconografías: una figura humana que tiene una cabeza de cuchillos *tecpatl* y una personificación del cuchillo *iztli* de la cual emerge Tezcatlipoca. La figura rayada es una transformación del pie del pequeño dios que emerge del círculo que indica la decapitación. La cabeza partida compuesta por dos cuchillos es el lugar de nacimiento de Tezcatlipoca. Todo el personaje es quimérico, obsidiana y pedernal al mismo tiempo, además que se condensan todos los roles y funciones rituales contradictorios. Se trata de un instrumento de sacrificio que es sacrificado y, a su vez, se transforma en una deidad que requiere y recibe nuevos sacrificios.

La persona cuchillo muerde y corta, pero es decapitada. El lugar del corte, que es un espejo, vincula un cuerpo sin cabeza con un cuerpo sin pie del dios Tezcatlipoca. ¿Se refleja el pie como cuerpo o se refleja la cabeza como pie? Al personaje complejo de Borgia 32 o le falta el pie o la cabeza y, presumiblemente, en cada lado del espejo obtiene poderes diferentes. Podemos retomar a Galinier, quien plantea que, en el sacrificio, existe una paradoja entre falta y poder (*manque et puissance*). Como dice Galinier, retomando a Lacan, "falta es poder y poder es falta" (Galinier 2004: 219-220). Con todo esto, el personaje central de la lámina 32 expresa, sin duda, toda la complejidad relacional presente en determinado rito de sacrificio.

En Ocotelulco, uno de los barrios de la Antigua Tlaxcala, se encontró en un recinto ceremonial del Posclásico Tardío un altar adornado con una pintura mural que es muy similar a la página 32 del Códice Borgia. Desde luego, este hallazgo ha proporcionado un buen argumento para las discusiones sobre la proveniencia del códice (Milbrath 2007). Los parecidos son más bien iconográficos, no tanto estilísticos. En Ocotelulco, el recinto pintado está flanqueado por dos serpientes nocturnal-telúricas (Peperstraete 2006). Las banquetas del recinto llevan murales con motivos sacrificiales como cráneos, manos y corazones. La pintura mural de Ocotelulco trata, aparentemente, de un recinto pintado dentro de un recinto arquitectónico.

En los centros de ambas pinturas vemos una vasija sacrificial del tipo *cuauhxicalli*. En el códice, la personificación de *tecpatl* está sentado en la vasija y su cuello está amarrado con un elemento que supuestamente es una soga de sacrificios (Seler 1904: 9). En Ocotelulco, el "dios-cuchillo" no es personificado por una figura humana, sino por un cuchillo de pedernal de cuya boca se asoma una cara humana con pintura facial de Tezcatlipoca. La asociación con esta deidad parece evidente. Como señala Peperstraete (2006: fig. 4), en el Códice Magliabecchiano 33r se encuentra una escena con un Tezcatlipoca sentado sobre un altar muy similar al de Ocotelulco. Toda esta información refuerza la identificación iconográfica del personaje central de Borgia 32 como dios o diosa del Cuchillo, así como su asociación con Tezcatlipoca.

Figura 33: Fragmento de mural de Ocotelulco, Tlaxcala.

Seler relaciona la escena del Códice Borgia 32 con la decapitación ritual tal como se practicaba en la fiesta Ochpaniztli que ya hemos discutido en capítulos previos. El mesoamericanista alemán también se refiere al mito de Coyolxauhqui, la diosa de la Luna que fue decapitada (1904: 10). Existe la hipótesis, por cierto muy polémica, y rechazada por Ana Díaz (com. pers.), que las láminas 29-46 del Códice Borgia efectivamente se refieran a los ritos de las 18 veintenas del calendario solar (Brotherston 2005: 57-60; Milbrath 2007; 2013). Nowotny considera esta posibilidad, pero se abstiene de hacer afirmaciones; comenta que probablemente se trata de los rituales de un templo muy específico de la región Cholula-Tlaxcala; observa, además, que se trata de escenas que nos llevan a los interiores de los templos, por eso las diferencias tan grandes con lo que describen los informantes de Sahagún que se enfocan en la "pompa exterior" (Nowotny 1961: 246-247). Si se trata de las fiestas de las veintenas, entonces, según la reconstrucción de Brotherston, no sería Ochpaniztli, sino la fiesta anterior. Pero, como el códice no proviene de Tenochtitlán, ni siquiera del Imperio Mexica, no podemos esperar coincidencias demasiado grandes con las veintenas según fuentes del Valle de México, como el Códice Borbónico, o con las descripciones de las fiestas en Sahagún (1951-1982) y Durán (1984). Se trataría, entonces, de una fiesta de la veintena Xocotl huetzi, en su versión de Cholula o Tlaxcala. Igual que Ochpaniztli, se trata de una fiesta de finales de la temporada de las lluvias. En muchos sistemas rituales mesoamericanos, y muy probablemente también entre los mexicas (Carrasco 1979), se suponía que durante la temporada de las lluvias, el sol viajaba por el inframundo. Las lluvias son una noche del año. Como vimos, entre los huicholes, la temporada de las lluvias se llama *t+karipa*, "cuando es medianoche".

La página que estudiamos es la última del viaje o recorrido por el interior de recintos que, posiblemente, pueden entenderse como espacios subterráneos o nocturnos con cielos estrellados. En la siguiente página, ahora sí posiblemente Ochpaniztli o una fiesta equivalente, salimos al exterior y lo que vemos son casas verticales, ya no *top shots* o planos (Brotherston 2005: 59). En la página 32, estamos, por lo tanto, de vuelta a la luz del día o, tal vez, a la superficie de la tierra. La salida de la persona-cuchillo, ya transformada, con rasgos de Quetzalcoatl-Estrella de la Mañana, por la apertura del recinto oscuro, tiene que ver con este cambio en la dinámica ritual. El dios emergente pasa por una diosa alargada –¿de la muerte? (Seler 1904: 13)– con garras de ave de rapiña, cráneo humano y cuchillos en la espalda.

Posiblemente, la escena se relaciona con el brote de las plantas del maíz y su salida a la tierra, con el fin de la temporada de las lluvias identificada con la noche y el inicio de las secas entendido como un nuevo amanecer. Como vimos, en la fiesta Ochpaniztli de Tenochtitlán se mataban diferentes personificadoras de diosas femeninas. Una personificadora de Toci –figura legendaria, hija de enemigos, que se volvió esposa de Huitzilopochtli– fue decapitada y desollada. Un sacerdote que se ponía la piel, con el vestido que ella misma había tejido, y se convirtió en la novia del dios solar y madre del maíz (Preuss 1904b: 140; Brown 1984; Graulich 1999: 91; DiCesare 2009). El hijo es Cinteotl, un dios del Maíz y de la Estrella de la Mañana, también conocido como Itzacoliuhqui, "cuchillo de obsidiana curva" (Olivier 2003: 117). Ahora bien, es importante recordar que todo esto no se puede ver en Borgia 32, así que vincular el nacimiento de Itzacoliuhqui con el sacrificio de la persona-cuchillo en Códice Borgia 32 sería, sin duda, muy forzado.

Hablando de este tipo de interpretaciones, lo que debemos evitar es una simple *copy theory* naturalista en la tradición de la Escuela de la Mitología Natural, pensar el ritual como un simple reflejo de los ciclos naturales. Tal vez no sorprende que Seler y Preuss hayan tenido estas ideas a finales del siglo XIX, pero aún las tienen muchos arqueoastrónomos (Milbrath 2007; 2013) y estudiosos actuales de las cosmovisiones mesoamericanas. Contestamos con Preuss que la creación del cosmos es, más bien, un acontecimiento que sucede en el ritual. Como vimos, este argumento ya fue usado por éste último (Preuss 1912; 1914) y por Cassirer (2010 [1925]) en sus críticas de las interpretaciones naturalistas de rituales no-occidentales. El ritual implica, además, la complejización de las identidades de todos los involucrados, así como de las relaciones entre ellos. Igual que la acción ritual, que siempre es llena de contradicciones y paradojas, las imágenes creadas en el ritual nunca van a ser fáciles de interpretar.

Retomando el análisis de las imágenes que se observan en la página 32 del Códice Borgia, veremos ahora más aspectos donde se puede ver la complejización de relaciones e identidades. La figura sacrificada central no es simplemente antropomorfa, también parece ser una quimera. En lugar de manos y pies tiene garras de un ave de rapiña, probablemente de un águila.

3. Coatlicue y el desdoblamiento de la persona

Otro detalle muy significativo es, desde luego, el uso del recurso estético que se conoce comúnmente como *split representation*. Observamos que el detalle de la cabeza ausente, de la cual emerge un dios de color negro, se repite en la salida del recinto, es decir, en la parte de la página que es la transición a la siguiente lámina y, posiblemente, a la sección dedicada a los ritos de la temporada de las secas. Aquí, la pequeña deidad (con rasgos de Quetzalcoatl) ya ha emergido con ambos pies y las bocas de los cuchillos en perfil forman una nueva boca *en face*. Algo similar sucede en la figura en el centro del recinto, pero está más claro en el caso de la figura de la salida. La nueva persona *en face* ve a Tezcatlipoca. Lo tiene en frente de sí y lo contempla con unos ojos bien abiertos...

La *split representation* es un tipo de composición que se conoce mejor de otras regiones del mundo, notablemente Oceanía, China y La Costa del Pacífico del Noroeste norteamericano (Covarrubias 1954, Lévi-Strauss 1987). Wiseman (2008: 3) define *split representation* como "the representation of the front view of an animal (usually the head) by two joined profiles". La imagen paradigmática es el diseño tsimshian conocido como "bears meeting", analizado por Boas en *Primitive Art* (1927), y reproducido por Lévi-Strauss (1992 [1958: 275]).

Figura 34: Bears meeting. Haida, tomado de Franz Boas 1927: 224, fig. 222.
(Dibujo de Nora Rodríguez Zariñán).

En Mesoamérica, un caso famoso es el monolito mexica conocido como la Coatlicue, que se encuentra en el Museo Nacional de Antropología. La identificación como Coatlicue, "Falda de Serpiente", la madre de Huitzilopochtli es problemática, ya que únicamente se apoya a que se menciona un personaje con este nombre en algunas crónicas. La iconografía del monolito, según algunos especialistas, corresponde más bien a una Tzitzimitl, un monstruo femenino del cielo (Boone 1999, Klein 2000, 2008, López Luján 2009) o, incluso, a las diosas de la vegetación (Zamora 2019). Pero esto no es lo que queremos discutir en este lugar. Llama la atención que de todos los autores que han escrito sobre la Coatlicue, la única que se dio cuenta de que se trata de una *split representation* es la historiadora del arte Iliana Godoy (2005: 49).

Las figuras de Borgia 32 y la Coatlicue son, entonces, comparables: un personaje es decapitado y descuartizado y en lugar de la cabeza surge una nueva cara. En el caso de la Coatlicue, esta nueva cabeza contrasta con la monumentalidad tridimensional del monolito. Es decir, la cara con *bilateral splitting* no se representa de la misma manera que otras figuras o que el resto de la figura. Notablemente, es tan solo insinuada.

El monolito de la Coatlicue posiblemente no representa la madre de Huitzilopochtli, pero posiblemente la famosa falda de serpientes es un elemento importante para explicar las transformaciones que sufrieron o experimentaron las víctimas de sacrificio.

Figura 35: Monolito de una diosa mexica conocida como Coatlicue, Sala Mexica. (Museo Nacional de Antropología).

Según Klein, ciertas vestimentas de mujeres sacrificadas servían para dotar de vida a objetos rituales determinados. En una lógica de transformación animista, la falda no era un accesorio de una diosa, más bien, quien se ponía la falda, se convertía en la diosa. La vestimenta de mujeres que personificaban a diosas sacrificadas servía precisamente para dotar de vida a objetos determinados. Según Mendieta (1997, vol. 1: 184, citado en Klein 2000: 56), las mantas de estas mujeres se usaron para envolver atados rituales con corazones de piedra verde. Es decir, las faldas de las víctimas mantenían con vida a objetos ceremoniales. Es posible que la falda de la Coatlicue sea, precisamente, una de estas mantas. El monolito muestra una víctima que agoniza y, al mismo tiempo, la falda divinizada que cobra vida. Se trataría, entonces, no solamente de una muerte sacrificial sino también de la transformación de un objeto en ser vivo. La diosa muere, pero tanto la falda, como el monolito, cobran vida, subjetividad propia y fuerza vital.

Desde luego, las fuentes existentes ponen límites a lo que se puede reconstruir. Jamás vamos a poder analizar el contexto ritual completo. Una cosa que podemos decir de la escultura de la Coatlicue es que condensa un proceso de transformación que se suponía que ocurría, precisamente, durante un rito sacrificial determinado.

¿Qué tanto aplican las teorías antropológicas clásicas que se han formulado sobre el tema? Lévi-Strauss (1987) rechaza la teoría funcionalista de Boas (1927), para quien la *split representation* surgió como una solución práctica cuando métodos de representación tridimensional se tenían que trasponer a superficies bidimensionales (cfr. Wiseman, 2007; 2008)[2]. Son factores sociales que impiden la disociación entre imágenes bi y tridimensionales. En sociedades con jerarquías sociales pronunciadas, pero inestables y constantemente desafiadas, las rivalidades entre grupos de prestigio implican una competencia permanente sobre privilegios económicos y sociales y, por ende, hay una necesidad permanente de plasmar emblemas gráficos como blasones o símbolos heráldicos sobre objetos y superficies de toda índole. En el contexto de este argumento, Lévi-Strauss desarrolla un planteamiento *ontológico* muy interesante sobre el carácter no-representativo de los blasones que son tan importantes en estas sociedades. Los baúles de la Costa Oeste no solamente son contendores adornados con pinturas o relieves de animales, sino que *son* los animales. Los utensilios de la vida cotidiana son también seres animados vivos. "Cosa y al mismo tiempo animal, caja que al mismo tiempo habla" (Lévi-Strauss 1987: 282). Esta forma tan peculiar de combinar perfiles y representaciones *en face* surge,

2 Ambos autores comparten la intención de refutar las teorías difusionistas que se habían elaborado sobre el fenómeno que existe en muchas partes del mundo y, notablemente, en toda la cuenca del Pacífico.

entonces, cuando una "decoración" no puede disociarse del cuerpo tridimensional donde la "decoración" es aplicada (ver Gell 1998: 194).

Pellizzi (2002: 220) señala que uno de los aspectos más sorpresivos del texto de Lévi-Strauss es el postulado de que el desdoblamiento de la representación sea una función del desdoblamiento de la personalidad (*dédoublement de la personnalité*)[3]. La *split representation* es una manera de relacionar el individuo biológico tridimensional y la *persona* social bidimensional.

Con este enfoque, Lévi-Strauss analizó casos de Oceanía (Nueva Zelanda), América (Costa del Noroeste Pacífico), China (bronces Shang) y fenómenos comparables como las pinturas faciales de los caduveo y guaicurú. Como sucede casi siempre en sus obras, no incluyó a Mesoamérica, región donde el desdoblamiento de la representación también existe y aparece, de hecho, en contextos muy prominentes. Nos preguntamos ahora si, en este caso, incluir a Mesoamérica hubiera modificado su teoría.

Otro aspecto que debemos tomar en cuenta es que la *split representation* es también un caso especial del *figure-ground reversal*, tan típico para las tradiciones artísticas amerindias. Llama la atención que las interpretaciones que se han hecho sobre este fenómeno apuntan en una dirección muy distinta. No se trata de insistir en la posesión de poderes y privilegios, sino en enfatizar el carácter procesual y transformativo de los rituales de adquisición de poder. Como ha comentado Cristiana Barreto en sus estudios sobre cerámica Marajoara, y Els Lagrou para los grafismos del arte amazónico en general, las figuraciones ambiguas indican la presencia de un espíritu, pero se evita una representación inequívoca de estos seres (Barreto 2009, 2010). Se insinúa o se evoca la presencia de seres, así como la posibilidad de transformarse en uno de ellos (Lagrou 2011, 2017). Hay una afinidad entre un "estilo de ver" y un "estilo de pensar": el arte del grafismo amazónico es un arte de la percepción que, pese a no revelar la transformación, sí muestra el camino para su aprehensión (Lagrou 2017). Estos estudios retoman, entonces, lo que los barok de Nueva Irlanda dicen, según Roy Wagner, sobre *pire-wuo*, el concepto local que se puede traducir como "figure-ground reversal": *pire-wuo* "is the way in which power is put into art", for it elicits a change of perspective within the viewer – an image of transformation formed by the transformation of an image" (Wagner 2012: 542)

Hay muchas otras formas de figuración ambigua que se podrían mencionar: las "máscaras de cuatro ojos", que se encuentran en muchas tradiciones indígenas mesoamericanas y que, recientemente, han sido estudiados por Questa Rebolledo (2017). Estos objetos muestran una "condensación de miradas". Danzante

3 Esta formulación hace pensar que, antes de elaborar su estructuralismo, Lévi-Strauss ya era algo así como un posestructuralista (ver Viveiros de Castro 2010a; 2910b).

y máscara miran con ojos distintos. Nosotros estudiamos la figuración ambigua en nuestros estudios sobre una tabla de estambre del artista huichol José Benítez Sánchez, *La visión de Tatutsi Xuweri Timaiweme* (ver capítulo 1). Hay una tensión importante entre dos tipos de figuración: una más figurativa o narrativa y otra similar a los que se conoce del arte moderno abstracto. Hay caras que emergen y miran al espectador. Otras figuras y formas, el espectador puede "descubrir" en su propia experiencia visionaria estimulada por la estética tan particular de la pintura, pero estas son mucho menos estables que las figuras que forman parte del discurso narrativo explícito. El cambio de un estilo al otro tiene que ver con tipos diferentes de conocimiento que son importantes en diferentes fases del proceso iniciático. La visión chamánica es mucho menos estable que el conocimiento analogista de los aprendices y legos.

Lo que vemos en Borgia 32 puede interpretarse, entonces, como una figuración ambigua en el sentido en el que lo plantean los amazonistas: la cara bidimensional creada en el sacrificio, compuesta por dos cuchillos (objetos planos) en perfil, solamente está insinuada. Se evita expresar una presencia más contundente de este ser. El tema de la relación entre bi y tridimensionalidad adquiere una importancia diferente. No se cuestiona la existencia del pequeño Tezcatlipoca sin pie, que nace de la herida, pero la cara de la *persona* que lo contempla está pinatada de una manera que pueda parecer fantasmática o, por lo menos, intencionalmente rara.

El contexto donde aparece la *split representation*, tanto en Borgia 32 como en la Coatlicue, es uno donde se busca expresar algo sobre la relación entre seres rituales con estatus ontológico diferenciado. En el caso de la Coatlicue, la *split representation* muestra que dos chorros de sangre que emanan del cuello forman una nueva cara, que consiste al mismo tiempo de dos cabezas de serpiente en perfil y de una cabeza de aspecto monstruoso de frente.

Esta nueva cabeza parece extraña por una razón más: la nueva cabeza de la Coatlicue formada de serpientes no tiene verso y reverso. Es igual en ambos lados. La Coatlicue se parece, entonces, a las estatuas planas ("tortoisshell crowns") de las islas Marquesas, documentadas por Karl von den Steinen y reanalizadas por Gell (1998: 192), que se caracterizan por su *backlessness*. Según Gell, "Imágenes con cara de Janus son en el arte plástico lo que el desdoblamiento de la representación es en el arte gráfico: aseguran que ninguna parte de la imagen se aleje de la vista 'canónica' o ritualmente potente" (1998: 195).

Los seres que son protagonistas de los sacrificios mesoamericanos son, como diría Wagner, "ni singular, ni plural"; "ni parte, ni suma" (Wagner 1991). A esto añadimos que no podemos decir, con toda seguridad, que las deidades protagonistas de estos ritos jamás estén presentes, pero tampoco podemos afirmar que estén ausentes. Las figuraciones que se producen no son realmente seres vivos, pero podemos estar seguros que tampoco son simples imágenes representativas. Pero el contraste entre los estatus ontológicos sí es importante.

Figura 36: Reverso del monolito mexica conocido como Coatlicue.

A diferencia de las víctimas, que son cuerpos tridimensionales, los seres que nacen en la acción sacrificial son imágenes bidimensionales, que indican que los resultados de los procesos rituales son siempre, o hasta cierto punto, inciertos. En ambos casos constatamos la importancia de la *split representation*, caso especial de *figure-ground reversal*, en un contexto de complejidad transformativa e incertidumbre ritual. Una vez más queda claro que el arte ritual no necesariamente es para reforzar creencias. Más bien estimula la reflexividad. A final de cuentas, las (re)presentaciones rituales de los dioses sí son algo como "simulacros" o "imágenes" en el sentido convencional de la palabra: seres ontológicamente diferenciados, de carácter fantasmático, similares, pero no iguales, a los seres reales e, incluso, más peligrosos.

La etnografía mesoamericana documenta casos de seres poderosos que son, más bien, imágenes y que están en conflicto con seres corpóreos. Leopoldo Trejo y sus coautores reportan que, en la región de nahuas, otomíes, totonacos y tepehuas del Sur de la Huasteca, "se sufre una escasez de cuerpos vitales frente a un exceso de existentes". Por eso se "vive una apabullante lucha o competencia por hacerse de un cuerpo vital" (Trejo *et al.*, 2015: 149). El trabajo de los curanderos consiste en gran medida en suministrar cuerpos de papel recortado para apaciguar a los diferentes entes que son peligrosos porque tienen hambre y desean tomar los cuerpos de los humanos. Darles sangre sacrificial y otras ofrendas provoca que los muñecos de papel no ataquen a los humanos. Pero lo mejor que se puede lograr es una tregua y controlar a los espíritus ofreciéndoles un sustituto para el cuerpo que desean.

La etnografía sobre los yanomami, titulada *La chute du ciel*, de Davi Kopenawa y Bruce Albert (2010) –retomada en el ensayo *A floresta de cristal* de Viveiros de Castro (2007)–, apunta en la misma dirección: una ontología donde los espíritus (normalmente depredadores) son imágenes o formas carentes un cuerpo tridimensional. El espíritu es "dueño de las imágenes fluidas", y difícilmente se deja capturar (Lagrou 2017). En algunos casos que se han estudiado en las etnografías del arte ritual mesoamericano, las imágenes se dan cuenta de que les falta realidad y corporalidad; desean vivir, tienen hambre, quieren sangre. Por eso atacan a las personas tridimensionales y les provocan enfermedades (Trejo *et al.* 2015). Las imágenes creadas por los artistas huicholes, más bien, desean interactuar con los hombres, les hablan a sus creadores en los sueños y les reclaman atenciones rituales –una experiencia que normalmente se vive como perturbadora y que ha provocado que algunos artistas dejaran de producir arte (Neurath 2013).

Con la página 32 del Códice Borgia y la Coatlicue como evidencia, podemos decir que no solamente existía una asociación entre *split representation* y decapitación ritual. Se buscaba, además, expresar algo sobre la relación entre las víctimas de la decapitación y los seres fantasmáticos, que nacían como consecuencia de estos rituales, y sobre las imágenes poderosas y complejas, pero de ontología incierta, que se plasmaron en códices y escultura. El arte ritual no solamente afirma creencias, sino las cuestiona. En el caso del gran monolito mexica, esta tensión entre mostrar y ocultar es particularmente interesante. Se construyó un monumento enorme a un momento efímero. La transformación que sucede en un sacrificio es un tema que el arte mesoamericano ha tratado de expresar, pero sin hacer afirmaciones demasiado tajantes.

En ambos casos se puede constatar que lo más importante es la transformación como proceso, no tanto las diferentes personas o entes involucrados en el ritual. La relación entre el cuchillo y Tezcatlipoca es más relevante que el dios en sí o el instrumento. De manera equivalente, el monumento de la Coatlicue no se dedica a la Coatlicue como personalidad mitológica, sino a un momento de sacrificio y transformación.

Ambas imágenes captan el momento de muerte y, al mismo tiempo, todo el proceso de transformación de la víctima. En el códice, un cuchillo deviene Tezcatlipoca, y Tezcatlipoca deviene el dios del cuchillo. En el monolito, una mujer sacrificada con una falda deviene una diosa, Tzitzimitl o "Falda de Serpiente", y tanto la falda como la estatua cobran vida. Sin embargo, la estética también expresa el estatus ontológico problemático de los seres creados en el sacrificio: son bidimensionales, fantasmáticos y, hasta cierto punto, irreales. Más que convertirse en seres vivos, estas figuras se encuentran en un estado extraño de *undead* –ni muertos, ni vivos.

Los dioses son seres creados a través de la acción ritual sacrificial, pero se caracterizan por su bidimensionalidad. Como seres que son pura piel desean carne y sangre. La paradoja principal es que estos seres fantasmáticos, a pesar de su existencia dudosa, pueden exigir sacrificios humanos. En otras palabras: al mismo tiempo que sí se les cumple, no se deja de cuestionar su poder.

VI. Conclusiones

Hemos visto rituales de transformación, personificación de ancestros y presentificación de deidades, sacrificios de todo tipo, cacerías y batallas rituales, búsquedas de visiones y procesos de fabricación de instrumentos rituales. Contemplamos imágenes que condesan relaciones y evocan experiencias rituales de gran intensidad. Pero el poder ritual no siempre se celebra, sino que también se cuestiona. La agentividad de las obras de arte se domestica y, a veces, se anula.

Las expresiones rituales amerindias pertenecen a mundos donde poco está dado y todo se cuestiona. La invención es valorada, mientras que el pragmatismo de la negociación cosmopolítica permea todos los aspectos de la interacción con la alteridad. Como resultado de las exploraciones de otros mundos, realizadas por comunidades de prácticas amerindias, se fabrican objetos, que fijan ciertos momentos, pero estos siempre contrastan con movimientos, gestos, cantos y visiones que se prefiere mejor no eternizar. Hay una ambivalencia que resulta del conflicto entre las necesidades de fijar y de difuminar, o mostrar y ocultar, así que el resultado son imágenes extrañas y difíciles de "leer". Se evoca la presencia de seres, pero ésta no debe ser demasiado inequívoca.

Los casos que hemos estudiado tienen rasgos en común, como la relacionalidad, la reflexividad, la ambigüedad y la complejidad. La propuesta es entender el arte ritual amerindio en su modernidad *avant la lettre*, independiente de la época de su proveniencia. Los antropólogos americanistas, arqueólogos e historiadores del arte no pueden confiar en las metodologías tradicionales de sus disciplinas, sino que tienen que buscar modelos que permitan un acercamiento a las complejidades relacionales y ambigüedades en la figuración. Hemos argumentado, entonces, que en el estudio del arte ritual amerindio, los modelos interpretativos deben ser etnográficos. ¡No especulemos a partir de modelos que provienen de las ciencias arqueológicas, sino constryasmos modelos que se basan en experiencias concretas en el trabajo de campo! El nuevo enfoque que proponemos implica un rechazo de todas aquellas representaciones de las culturas amerindias que han ignorado la complejidad, para reducir todo a cuestiones simples de dualismo y cosmovisión, o aspectos prácticos-funcionales, como la adaptación al medio ambiente y la legitimación del poder.

Bibliografía

Acosta Saignes, Miguel. 1905. *Tlacaxipehualiztli. Un complejo mesoamericano entre los caribes*. Caracas: Instituto de Antropología y Geografía, Facultad de Filosofía y Letras, Universidad Central.

Adair, James. 1775. *The History of the American Indians; Particularly Those Nations adjoining to the Mississippi, East and Est Florida, Georgia, South and North Carolina, and Virginia: Containing and Account of their Origin, Language, Manners, Religious and Civil Customs, Laws, Form of Government, Punishments, Conduct in War and Domestic Life, their Habits, Diet, Agriculture, Manufactures, Diseases and Method of Cure, and other Particulars, sufficient to render it A Complete Indian System. Observations on former Historians, the Conduct of our Colony Governors, Superintendents, Missionaries, &c. Also an Appendix, Containing A Description of the Floridas, and the Mississippi Lands, with their Productions—The Benefits of colonizing Georgiana, and civilizing the Indians—And the way to make all the Colonies more valuable to the Mother Country. With a new Map of the Country referred to in the History*. London: Printed for Edward and Charles Dilly, in the Poultry.

Agamben, Giorgio. 2012. *Opus dei: Arqueología del Oficio [Homo sacer, II, 5]*. Buenos Aires: Adriana Hidalgo Editora.

–.2009. "Liturgia and the Modern State". Conferencia en European Graduate School http://www.youtube.com/watch?v=jK-s3qHfLgw.

Alcocer, Paulina. 2002. "Elementos humboldtianos en las teorías de la religión y de la magia de Konrad Theodor Preuss". *Journal de la Société des Américanistes* 88. 47-68.

–. 2006. "La forme interne de la conscience mythique. Apport de Konrad Theodor Preuss à la *philosophie des formes symboliques* de Ernst Cassirer". *L'Homme Revue française d'anthropologie* 180. 139-170.

–. 2008. "Lucha cósmica y agricultura de maíz. La etnología comparativa de Konrad Theodor Preuss". *Por los caminos del maíz. Mito y ritual en la periferia septentrional de Mesoamérica*. Ed. Johannes Neurath. México: Consejo Nacional para la Cultura y las Artes (CONACULTA), Fondo de Cultura Económica. 30-84.

Allen, Catherine J. 1998. "When Utensils Revolt: Mind, Matter, and Modes of Being in the pre-Columbian Andes". *RES. Anthropology and Aesthetics* 33. 18-27.

Anders, Ferdinand; Maartin Jansen y Luis Reyes García. 1993. *Los templos del cielo y de la oscuridad: Oráculos y liturgia, libro explicativo del llamado Códice Borgia*. México: Fondo de Cultura Económica.

Aveni, Anthony F. 2001. *Skywatchers. A Revised and Updated Version of Skywatchers of Ancient Mexico*. Austin: University of Texas Press.

Báez, Linda. 2017. "Quechmictoplican: mítico lugar de encuentro entre Aby Warburg y Mesoamérica". Ponencia en el *Simposio internacional Warburg (en/sobre) América: translaciones y proyecciones.* 8-9 septiembre 2017. México: Universidad Nacional Autónoma de México-Museo Universitario de Arte Contemporáneo.

Bahr, Donald, Joseph Giff, y Manuel Havier. 1979. "Piman Songs on Hunting". *Ethnomusicology* 23. 245-296.

Barcelos Neto, Aristóteles. 2008. *Apapaatai: rituais de máscaras no Alto Xingu*. São Paulo: Editora da Universidade de São Paulo.

–. 2009. "The (de)animalization of objects: food offerings and the subjectivization of masks and flutes among the Wauja of Southern Amazonia". *The Occult Life of Things: Native Amazonian Theories of Materiality and Personhood*. Ed. Fernando Santos-Granero. Tucson: University of Arizona Press. 128-151.

Barnes, R. H.; Daniel de Coppet y R. J. Parkin (eds.). 1985. *Contexts and Levels. Anthropological Essays on Hierarchy*. Oxford: JASO Occasional Papers 4.

Barreto, Cristiana. 2009. *Meios místicos de reprodução social: arte e estilo na cerâmica funerária da Amazônia Antiga.* Tesis de doctorado. São Paulo: Universidade do São Paulo.

–. 2010. "Cerâmica e complexidade social na Amazônia antiga: uma perspectiva a partir de Marajó". *Arqueologia Amazônica* V. 1. Eds. Edithe Pereira y Vera Guapindaia. Belém: Museu Paraense Emílio Goeldi. 193-212.

Bataille, Georges. 1982 [1938]. "Atracción y repulsión". *El Colegio de Sociología (1937-1939).* Ed. Denis Hollier. Madrid: Taurus. 137-151.

Bateson, Gregory. 1958. *Naven. The culture of the Iatmul people of New Guinea as revealed through a study of the "naven" ceremonial.* Palo Alto: Stanford University Press.

Battaglia, Debbora. 1990. *On the Bones of the Serpent. Person, Memory, and Mortatlity in Sabarl Island Society.* Chicago: University of Chicago Press.

Belting, Hans. 1994. *Likeness and Presence. A History of the Image before the Era of Art.* Chicago: Chicago University Press.

–. 2006 *Das echte Bild. Bildfragen als Glaubensfragen.* München: C. H. Beck Verlag.

Bennett, John W. 1944. "Middle American Influences on Cultures of the Southeastern United States". *Acta Americana* 2:1-2. 25-50.

Bloch, Maurice. 1986. *From Blessing to Violence. History and Ideology in the Circumcision Ritual of the Merina of Madagascar*. Cambridge: Cambridge University Press, Cambridge Studies in Social Anthropology.

–. 1994 [1971]. *Placing the Dead. Tombs, Ancestral Villages, and Kinship Organization in Madagascar*. Waveland: Prospect Heights.

Boas, Franz. 1927. *Primitive Art.* Oslo: H. Aschehoug & Company.

Bonfiglioli, Carlo. 1995. *Fariseos y matachines en la Sierra Tarahumara. Entre la pasión de Cristo, la transgresión sexual y las danzas de Conquista*. México: Instituto Nacional Indigenista.

Bonfiglioli, Carlo; Isabel Martínez y Alejandro Fujigaki (eds). En prensa. *La humanidad compartida.* México: Instituto de Investigaciones Antropológicas, Universidad Nacional Autónoma de México.

Boone, Elizabeth Hill. 1999. "The Coatlicues at the Templo Mayor". *Ancient Mesoamerica* 10. 189-206.

–. 2007. *Cycles of Time and Meaning in the Mexican Divinatory Codices.* Austin: University of Austin Press.

Branniff, Beatriz, Linda S. Cordell, María de la Luz Gutiérrez, Elisa Villapando y Marie-Areti Hers. 2001. *La Gran Chichimeca. El lugar de las rocas secas.* México: Consejo Nacional para la Cultura y las Artes (CONACULTA); Italia: Jaca Book Editoriale.

Bredekamp, Horst. 2010. *Theorie des Bildakts.* Frankfurt: Suhrkamp Verlag.

–. 2019. Aby Warburg, der Indianer. Berliner Erkundungen einer liberalen Ethnologie. Berlín: Wagenbach. 2019

Bricker, Victora Reifler. 1982. *El Cristo indígena, el rey nativo. El sustrato histórico de la mitología del ritual de los mayas.* México: Fondo de Cultura Económica.

Broda, Johanna. 1970. "Tlacaxipehualiztli: A Reconstruction of an Aztec Calendar Festival from 16th Century Sources". *Revista Española de Antropología Americana* 5. 197-274.

–. 1983. "Ciclos agrícolas en el culto: un problema de correlación del calendario mexica". *Calendars in Mesoamerica and Peru. Native American Computations of Time.* Eds. Anthony F. Aveni y Gordon Brotherston. Proceedings of the 44th International Congress of Americanists Manchester 1982. British Archaeological Reports, International Series 174.145-164.

–. 1987. "The Provenience of the Offerings: Tribute and Cosmovision". *The Aztec Templo Mayor.* Ed. Elizabeth H. Boone. Washington D.C.: Dumbarton Oaks, Trustees for Harvard University. 211-256.

–. 1991a. "The Sacred Landscape of Aztec Calendar Festival: Myth, Nature, and Society". *To Change Place. Aztec Ceremonial Landscapes.* Ed. David Carrasco. Boulder: Universidad de Colorado. 74-120.

–. 1991b. "Cosmovisión y observación de la naturaleza: el ejemplo del culto a los cerros en Mesoamérica". *Arqueoastronomía y Etnoastronomía en Mesoamérica.* Eds. Johanna Broda, Stanislaw Iwaniszewski y Lucrecia Maupomé. México: Universidad Nacional Autónoma de México, Instituto de Investigaciones Históricas. 461-500.

Broda, Johanna (ed.). 2013. *Convocar a los dioses: ofrendas mesoamericanas. Estudios históricos, antropológicos y comparativos.* Xalapa: Instituto Veracruzano de Cultura.

Brotherston, Gordon. 1992. *Book of the Fourth World. Reading the Native Americas Through their Literature.* Cambridge: Cambridge University Press.

–.1994. "Huesos de muerte, huesos de vida: la compleja figura de Mictlantecuhtli". *Cuicuilco*. Nueva época 1. 85-98.

–. 2005. *Feather Crown. The Eighteen Feasts of the Mexica Year.* Londres: The British Museum.

–. 2008. "El guajolote provee las semillas: el sustento en las creencias anasazi y mexicanas". *Mito y ritual en la periferia septentrional de Mesoamérica* Ed. Johannes Neurath. México: Consejo Nacional para la Cultura y las Artes (CONACULTA), Fondo de Cultura Económica. 273-293.

Brown, Betty Ann. 1984. "Ochpaniztli in Historical Perspective". *Sacrifice in Mesoamerica.* Ed. Elizabeth H. Boone. Washington D.C.: Dumbarton Oaks Research Library and Collections. 195-209.

Brown, James A. 1975. "Spiro Art and its Mortuary Context". *Death and Afterlife in Pre-Columbian America.* Ed. Elizabeth Benson. Washington: Dumbarton Oaks Research Library and Collections. 1-32.

–. 1989. "On Style Divisions of the Southeastern Ceremonial Complex". *The Southeastern Ceremonial Complex: Artifacts and Analysis, The Cottonlandia Conference.* Ed. Patricia Galloway. Lincoln: University of Nebraska Press. 183-204.

–. 1995. "Andean Mortuary Practices in Perspective". *Tombs for the Living: Andean Mortuary Parctices.* Ed. Tom D. Dillehey. Washington D.C.: Dumbarton Oaks Research Library and Collections. 391-403.

–. 2007. "On the Identity of the Birdman within Mississippian Period Art and Iconography". *Ancient Objects and Sacred Realms. Interpretations of Mississippian Iconography.* Ed. F. Kent Riley III y James F. Garber. Austin: University of Texas Press. 56-106.

Bunzel, Ruth L. 1932. "Introduction to Zuni Ceremonialism". *47th Annual Report of the Bureau of American Ethnology.* Washington D.C.: Smithsonian Institution. 515.

Caillois, Roger. 1984 [1939]. *El hombre y lo sagrado.* México: Fondo de Cultura Económica.

Careri, Giovanni. 2003. "Aby Warburg. Rituel, *Pathosformel* et forme intermédiaire". *L'Homme. Revue française d'anthropologie* 165. 41-76.

Carr, Pat M. 1979. *Mimbres Mythology*. Southwestern Studies Monographs 56. El Paso: University of Texas Press.

Carrasco, Pedro. 1979. "Las fiestas de los meses mexicas". *Mesoamérica. Homenaje a Paul Kirchhoff.* Ed. Barbro Dahlgren. México: Instituto Nacional de Antropología e Historia. 52-60.

Caso, Alfonso. 1953. *El pueblo del Sol.* México: Fondo de Cultura Económica

Cassirer, Ernst. 1924. "Zur Philosophie der Mythologie". *Festschrift für Paul Natorp.* Berlin: Geburtstag. 23-54.

–. 1978 [1950]. *The Problem of Knowledge. Philosophy, Science, and History since Hegel.* New Haven: Yale University Press.

–. 1995 *Zur Metaphysik der symbolischen Formen.* Hamburgo: Felix Meiner Verlag.

–. 2010 [1925]. *Philosophie der* Symbolischen *Formen 2. Das mythische Denken.* Hamburg: Meiner.

–. 2013. *The Warburg Years (1919-1933). Essays on Language, Art, Myth, and Technology.* New Haven: Yale University Press.

–. 2014. *Rousseau, Kant, Goethe. Filosofía y cultura en la Europa del siglo de las luces.* México: Fondo de Cultura Económica.

Catlin, George. 1968 [1867]. *O-Kee-Pa. A Religious Ceremony and Other Customs of the Mandan.* Lincoln: University of Nebraska Press.

Cestelli Guidi, Benedetta y Nicholas Mann (eds.). 1999. *Grenzerweiterungen Aby Warburg in Amerika 1895-1896.* Hamburgo y Munich: Dölling und Galitz Verlag.

Chakrabartry, Dipesh. 2000. Provincializing Europe: Postcolonial Thought and Historical Difference. Princeton: Princeton University Press.

Chamoux, Marie-Noëlle. 2011. "Persona, animicidad, fuerza", *La noción de vida en Mesoamérica.* Eds. Perig Pitrou; María del Carmen Valverde y Johannes Neurath. México: Universidad Nacional Autónoma de México, Instituto de Investigaciones Filológicas. 155-180.

Chateaubriand, François-René de. IX [1801]. *Atala, ou Les Amours de deux sauvages dans le desert.* París: Migneret/Librairie Dupont.

Chávez, Ximena, Alejandra Aguirre, Ana Miramontes y Erika Robles. 2010. "Los cuchillos ataviados de la ofrenda 125, Templo Mayor de Tenochtitlan". *Arqueología mexicana* 103. 70-75.

Cheng, Joyce Suechun. 2010. "Mythic Thinking in Image and Action: Hopi Ethno-Poetics according to Aby Warburg and André Breton". *Colloque international en deux volets Aby Warburg à la lettre Survivance d'Aby Warburg Sens et destin d'une iconologie critique.*, 18-19 novembre 2010. Manuscrito.

Chipmann, Donald. 1992. *Spanish Texas 1519-1821.* Austin: University of Texas Press.

Clastres, Pierre. 1987. *Society Against the State: Essays in Political Anthropology.* Nueva York: Zone Books.

Clendinnen, Inga. 1991. *Aztecs. An Interpretation.* Cambridge: Cambridge University Press.

Códice Becker I/II. 1961. Códices Selecti V. 4. Edición facsimilar. Graz: Akademische Druck- und Verlagsanstalt.

Codex Borbonicus. Bibliothèque de l'Assemblée Nationale, Paris. Edición facsimilar. Graz: Akademische Druck- und Verlagsanstalt. http://www.famsi.org/research/graz/borbonicus/thumbs_0.html

Codex Borgia. (Cod. Borg. Messicano 1). Edición facsimilar. Graz: Akademische Druck- und Verlagsanstalt. http://www.famsi.org/research/graz/borgia/thumbs_0.html

Codex Féjerváry-Mayer. Museum of the City of Liverpool. Edición facsimilar. Graz: Akademische Druck- und Verlagsanstalt. http://www.famsi.org/research/graz/fejervary_mayer/thumbs_0.html

Códice Fernández Leal. 1991. México: Instituto de Investigaciones Filológicas-Universidad Nacional Autónoma de México.

Codex Magliabecchiano. Edición facsimilar de 1904 http://www.famsi.org/research/loubat/Magliabecchiano/thumbs4.html

Códice Porfirio Díaz. 1892. En *Antigüedades de México. Homenaje a Cristóbal Colón*. México: Junta Colombina, Secretaría de Fomento.

Codex Telleriano-Remensis, edición facsimilar Universidad de Rostock. http://www.famsi.org/research/loubat/Telleriano-Remensis/thumbs0.html

Códice Tudela, edición facsimilar. 1980. Madrid: Ediciones Cultura Hispánica.

Códice Vaticanus A, edición facsimilar. 1979. Codices Selecti 8. Graz: ADEVA.

Códice Zouche-Nutall, edición facsimilar. 1987. Codices Selecti 81. Graz: ADEVA.

Covarrubias, Miguel. 1954. *The Eagle, the Jaguar, and the Serpent. Indian Art of the Americas North America: Alaska, Canada, the United States.* Nueva York: Alfred Knopf.

Coyle, Philip E. 2001. *From Flowers to Ash: Náyari History, Politics, and Violence*. Tucson: University of Arizona Press.

Cunkle, James R. 2000. *Mimbres Mythology: Tales from the Painted.* Phoenix: Golden West Publishers.

Cushing, Frank Hamilton. 1896. "Outlines of Zuñi Creation Myths". *13th Annual Report of the Bureau of American Ethnology.* Washington, D.C.: Smithsonian Institution. 321-447.

Dakin, Karen. 2004. "El xolotl mesoamericano: ¿Una metáfora de transformación yutonahua?". *La metáfora en Mesoamérica.* Ed. Mercedes Montes de Oca. México: Instituto de Investigaciones Filológicas, Universidad Nacional Autónoma de México. 193-223.

Davies, Nigel. 1977. "Mixcoatl, Man and God". *XIIL Congreso Internacional de Americanistas. París 1976.* V. 6. 19-26.

Declercq, Stan. 2018. *Los mecitin (mexicas) comedores de carne humana: canibalismo y guerra ritual en el México antiguo.* Tesis de Doctorado en Estudios Mesoamericanos. México: Universidad Nacional Autónoma de México.

Dehouve, Danièle. 2007. *La ofrenda sacrificial entre los Tlapanecos de Guerrero*. México: Centro de Estudios Mexicanos y Centroamericanos, Plaza y Valdés.

Déléage, Pierre. 2009a. *Le chant de l'anaconda. L'apprentissage du chamanisme chez les Sharanahua (Amazonie occidentale).* Paris: Société d'ethnologie.

–. 2009b. "Epistemología del saber tradicional". *Dimensión Antropológica* 46. 69-79.

de la Cadena, Marisol. 2010. "Indigenous Cosmopolitics in the Andes: Conceptual Reflections Beyond 'Politics'". *Cultural Anthropology* 25:1. 334-70.

Del Chamberlain, Van. 1982. *When the Stars Came Down to Earth: Cosmology of the Skidi Pawnee Indians of North America*. Lincoln: University of Nebraska Press.

Deleuze, Gilles y Félix Guattari. 2006. *Mil mesetas. Capitalismo y esquizofrenia.* Valencia: Pre-Textos.

Descola, Philippe. 1996. *The spears of twilight: life and death in the Amazon jungle.* Trad. Janet Lloyd. New York: New Press.

–. 2012. *Más allá de naturaleza y cultura*. Buenos Aires: Amorrortu.

Descola, Philippe (ed.). 2010. *La Fabrique des Images*. París: Musée du quai Branly, Somogy Éditions d'Art.

Día, Ana G. 2014. "Venus más allá de las tablas astronómicas: Una relectura de las láminas 53-54 del *Códice Borgia*". *Estudios de cultura náhuatl* 48. 89-128.

–. 2016. *El maíz se sienta para platicar. Códices y formas de conocimiento nahua, más allá del mundo de los libros.* México: Bonilla y Artigas.

–. 2019. "Relectura de la Rueda Bobán: composición de una rueda calendárica no astronómica". Ponencia presentada en *Coloquio Diálogos sobre imágenes astronómicas en América siglos XVI-XIX.* Universidad Nacional Autónoma de México, Instituto de Investigaciones Estéticas. 31 de enero a 1 de febrero 2019.

Díaz de Arce, Norbert. 2001. "Im Grunde bin ich ein unpolitischer Mensch, der nur seiner wissenschaftlichen Tätigkeit nachgeht". *Die Berliner und Brandenburger Lateinamerikaforschung in Geschichte und Gegenwart.* Ed. Gregor Wolf. Berlín: Wissenschaftlicher Verlag. 163-196.

–. 2005. *Plagiatsforwurf und Denunziation. Untersuchungen zur Geschichte der Altamerikanistik in Berlin (1900-1945).* Tesis de Doctorado. Berlín: Universidad Libre de Berlín.

Dicesare, Catherine. 2009. *Sweeping the Way. Divine Transformation in the Aztec Festival of Ochpaniztli.* Boulder: University Press of Colorado.

Dorsey, George A. 1903. *The Arapaho Sun Dance Field: The Ceremony of the Offering Lodge*, Chicago: Field Columbian Museum Publication 75, Anthropological Series 4.

–. 1904. *Traditions of the Skidi Pawnee.* Boston: The American Folk-Lore Society.

–.1906. *The Pawnee: Mythology*. Washington D.C.: Carnegie Institution of Washington, Publication 21.

Dumont, Louis. 1980 [1966]. *Homo Hierarchicus. The Caste System and its Implications.* Chicago: University of Chicago Press.

Durkheim, Émile. 1993 [1912]. *Las formas elementales de la vida religiosa.* Madrid: Alianza.

Douglas, Mary. 1966. *Purity and Danger. An Analysis of Concepts of Pollution and Taboo.* London: Routledge and Keagan.

Dupey, Élodie. 2015. "The Materiality of Color in the Body Ornamentation of Aztec Gods". *RES. Anthropology and Aesthetics* 65-66. 72-88.

Durán, Fray Diego. 1984. *Historia de las Indias de Nueva España e Islas de la Tierra Firme.* 2 volúmenes. México: Editorial Porrúa.

Dye, David H. 2004. "Art, Ritual, and Chiefly Warfare in the Mississippian World". *Hero, Hawk, and Open Hands. American Indian art of the Ancient Midwest and South.* Ed. Richard F. Townsend. Chicago: Art Institute of Chicago. 191-205.

–. 2007. "Ritual, Medicine, and the War Trophy Oceanographic Theme in Mississippian Art". *Ancient Objects and Sacred Realms. Interpretations of Mississippian Iconography.* Eds. Kent Riley III y James F. Garber. Austin: University of Texas Press. 152-173.

Earl, Timothy. 1987. "Chiefdoms in Archaeological and Ethnohistorical Perspective". *Annual Review of Anthropology* 16. 279-308.

Effert, F. R.. 1992. *J. P. B. De Josselin de Jong. Curator and Archaeologist. A Study of His Early Career (1910-1932).* Leiden: Centre of Non-Western Studies.

Eggan, Fred. 1950. *Social Oranization of Western Pueblos.* Chicago: University of Chicago.

–. 1979. "Pueblos: Introduction". *Handbook of North American Indians* 9. Ed. Alfonso Ortiz. Washington D.C.: Smithsonian Institution. 224-235.

Elvas, Gentleman of. 1933. *True Relation of the Hardships Suffered by Governor Fernando de Soto and Certain Portuguese Gentlemen during the Discovery of the Province of Florida.* 2 volúmenes. Ed. James Alexander Roberts. DeLand: Florida Historical Society.

Emerson, Thomas E. 1989. "Water, Serpents, and the Underworld: An Exploration into Cahokian Symbolism". *The Southeastern Ceremonial Complex: Artifacts and Analysis. The Cottonlandia Conference.* Ed. Patricia Galloway. Lincoln: University of Nebraska Press. 45-92.

Erdheim, Mario. 1983: "Transformaciones de la ideología mexica en realidad social". *Economía política e ideología en el México prehispánico.* Eds. Pedro Carrasco y Johanna Broda. México: Centro de Investigaciones Superiores del Instituto Nacional de Antropología e Historia, Editorial Nueva Imagen. 195-220.

Erikson, Philippe. 1986. "Alterité, tatouage et anthropophagie chez les pano: la belliqueuse quête du soi". *Journal de la Société des Américanistes* 72. 185-209.

Fausto, Carlos. 2000. "Of Enemies and Pets: Warfare and Shamanism in Amazonia". *American Ethnologist* 26:4. 933-56.

–. 2007. "Feasting on People. Eating Animals and Humans in Amazonia". *Current Anthropology* 48:4. 497-530.

Feest, Christian F. 1980. *Native Art of North America.* London: Thames and Hudson.

–. 1986. *Indians of Northeastern North America.* Iconography of Religions X:7. Institute of Religious Iconography State University of Groningen. Leiden: J. E. Brill.

–.1998. *Beseelte Welten. Die Religionen der Indianer Nordamerikas.* Kleine Bibliothek der Religionen. Friburgo: Herder.

–. 2000. *Kulturen der nordamerikanischen Indianer.* Köln: Könemann.

–. 2007 "Das Unverständliche, das Fremde und das Übernatürliche: Schlangen in religiöser Vorstellung und Praxis im indigenen Nordamerika". *Schlangenritual. Der Transfer von Wissensformen vom Tsu'ti'kive der Hopi bis zu Aby Warburgs Kreuzlinger Vortrag.* Eds. Cora Bender; Thomas Hensel y Erhard Schüttpelz. Berlin: Akademie Verlag, Wissenskulturen und Gesellschaftlicher Wandel 16.

Fewkes. Jesse W. 1893. "A Central American Ceremony which suggests the Snake Dance of the Tusayan Villagers". *American Anthropologist* 6:3. 285-306.

–. 1900. "Tusayan Migration Traditions". *19th Annual Report of the Bureau of American Ethnology.* Washington D.C.: Smithsonian Institution 1. 573-633.

–. 1903. "Hopi Katchinas". *21th Annual Report of the Bureau of American Ethnology.* Washington D.C.: Smithsonian Institution. 1-144.

Fewkes, Jesse W. y Alexander Stephens. 1893. "The Pá-Lü-Lü-Koñ-Ti: A Tusayan Ceremony". *The Journal of American Folklore* 6:23. 269-284.

Fletcher, Alice C. 1902. "Star Cult Among the Pawnee—A Preliminary Report". *American Anthropologist* N. S. 4. 730-736.

–.1904. "The Hako: A Pawnee Ceremony". *22nd Annual Report of the Bureau of American Ethnology* 2. Washington D.C.: Smithsonian Institution.

Foster, Michael S. y Shirley Gorenstein (eds.). 2000. *Greater Mesoamerica. The Archaeology of West and Northwest Mexico*. Salt Lake City: University of Utah Press.

Frazer, Sir James George. 1920. *The Golden Bough: A Study in Magic and Religion*. V. 1. *The Magic Art and the Evolution of Kings*. Third edition. London: MacMillan & Co.

Freedberg, David. 1992 [1989]. *El poder de las imágenes. Estudio sobre la historia y la teoría de la respuesta*. Madrid: Cátedra.

–. 2004. "Pathos a Oraibi: Ciò che Warburg non vide". *Lo Sguardo di Giano, Aby Warburg fra tempo e memoria*. Eds. Claudia Cieri Via and Pietro Montani. Torino: Nino Aragno. 569-611.

–. 2005. "Warburg's Mask: A Study in Idolatry". *Anthropologies of Art*. Ed. Mariët Westermann. Williamstown: Clark Studies in Visual Arts. 3-25.

Friedman, Michael. 2002. *A Parting of the Ways. Carnap, Cassirer and Heidegger*. Chicago: Open Court.

Fujigaki, Alejandro. 2014. "Construir el camino del olvido. Rituales mortuorios". *Artes de México* 112. 30-37.

–. 2015. *La disolución de la muerte y el sacrificio. Contrastes de las máquinas de transformaciones y mediaciones de los rarámuri y los mexicas*. Tesis de Doctorado en Antropología. México: Universidad Nacional Autónoma de México.

Furst, Peter T. 1975. "The Thread of Life: Some Parallels in the Symbolism of Aztec, Huichol, and Pueblo Earth Mother Goddesses". *Prospectos y balances de la antropología mexicana*. XIII Mesa Redonda de la Sociedad Mexicana de Antropología. México. 235-245.

Galinier, Jacques. 2004. *The World Below. Body and Cosmos in Otomi Indian Ritual*. Boulder: University Press of Colorado.

Galinier, Jacques, y Aurore Monod Becquelin. 2016. *Las cosas de la noche. Una mirada diferente*. México: Centro de Estudios Mexicanos y Centroamericanos.

Garcilaso de la Vega, Inca. 1980 [1605]. *La Florida del Inca*. Crónicas de América 22. Madrid: Historia 16.

Garibay K., Ángel María. 1985. *Teogonía e historia de los mexicanos. Tres opúsculos del siglo XVI*. México: Editorial Porrúa.

Geertz, Armin. 1984. "A Reed Pierced the Sky. Hopi Indian Cosmography on Third Mesa. Arizona". *Numen. International Review for the History of Religions* 31. 216-241.

–.1994. *The Invention of Prophecy*. Berkeley: University of California Press.

Geist, Ingrid. 1991. "El espacio-tiempo huichol". *México Indígena* 16-17. 63-67.

Gell, Alfred. 1998. *Art and agency. An anthropological theory*. Oxford: Clarendon Press.

–. 2016. *Arte y Agencia. Una teoría antropológica*. Buenos Aires: SB.

Glockner, Julio. 1996. *Los volcanes sagrados: Mitos y rituales en Popocatépetl y la Iztaccíhuatl*. México: Grijalbo.

Gluckman, Max. 1963. "Rituals of Rebellion in South-East Africa". *Order and Rebellion in Tribal Africa*. London: Cohen and West. 110-135.

Goethe, Johann Wolfgang. 1999 [1798]. "Über Laokoon". *Schriften zur Kunst und Literatur.* Stuttgart: Reclam. 101-115.

–. 1999 [ca. 1806]. "Zur Morphologie". *Schriften zur Naturwissenschaft: Auswahl.* Ed. Michael Böhler. Stuttgart: Reclam. 45-55.

Godoy, Iliana. 2005. "En manos de Coatlicue". *Arqueología mexicana* 12:71. 48-51.

Gombrich, Ernst. 1992 [1970]. *Aby Warburg. Eine intellektuelle Biographie.* Hamburgo: Europäische Verlagsansanstalt. 45-48.

Gose, Peter. 2018. "The semi-social mountain. Metapersonhood and political ontology in the Andes". *Hau Journal of Ethnographic Theory* 8:3. 488-505.

Graeber, David. 2015. "Radical alterity is just another way of saying "reality". A reply to Eduardo Viveiros de Castro". *Hau: Journal of Ethnographic Theory* 5:2. 1-41

Graulich, Michel. 1974. "Las peregrinaciones aztecas y el ciclo de Mixcoatl". *Estudios de Cultura Náhuatl* 11. 211-354.

–. 1981. "The Metaphor of the Day in Ancient Mexican Myth and Ritual". *Current Anthropology* 22:1. 45-60.

–. 1982. "Les Mises à mort doubles dans les rites sacrificiels des anciens Mexicains". *Journal de la Société des Américanistes* 68. 49-58.

–. 1983 "Myths of Paradise Lost in Pre-Hispanic Central Mexico". *Current Anthropology* 25:5. 575-588.

–. 987. *Mythes et rituels du Mexique ancien préhispanique.* Academie Royal de Belgique. Memoirs de la Classe de Lettres. Bruxelles: Palais des Académies.

–. 1999. *Ritos aztecas. Las fiestas de las veintenas.* México: Instituto Nacional Indigenista.

Griffin, James B. 1966. "*Mesoamerica and the Eastern United States in Prehistoric Times". Handbook of Middle American Indians* 4. Ed. Robert Wauchope. *Austin: University of Texas Press.* 111-131.

Grube, Nikolai. 1998. "Speaking Through Stones: A Quotative Particle in Maya Hieroglyphic Writing". *50 Years of Americanist Studies at the University of Bonn: New Contributions to the Archaeology, Ethnohistory, Ethno-Linguistics and Ethnography of the Americas.* Eds. Sabine Dedenbach-Salazar Sáenz, Carmen Arellano Hoffmann, Eva König y Heiko Prümers. Schwaben: Verlag Anton Saurwein. 543-558.

Gugel, Liane. 2000. "Prärie und Plains". *Kulturen der nordamerikanischen Indianer.* Ed. Christian F. Feest. Köln: Könemann. 184-237.

Halbmayer, Ernst. 1998. *Kannibalistische Sonne, Schwiegervater Mond und die Yukpa.* Frankfurt/Main: Brandes & Apsel.

–. 2017. "Rethinking Culture, Area, and Comparison from the Axial Age to the Contemporary Multi-centric World". *Zeitschrift für Ethnologie* 142. 157-180

Hall, Robert L. 1991. "A Plains Indian Perspective on Mexican Cosmovision". *Arqueoastronomía y etnoastronomía en Mesoamérica.* Eds. Johanna Broda, Stanislaw Iwaniszewski y Lucrecia Maupomé. México: Instituto de Investigaciones Históricas, Universidad Nacional Autónoma de México. 557-574.

Hémond, Aline. 2008. "Ojos múltiples y espacio circular: Algunas reflexiones en torno a la iconografía y al ritual entre los nahuas de Guerrero". *Diario de Campo* Suplemento 48. 13-31.

Henare, Amiria, Martin Holbraad y Sari Wastel. 2007. "Introduction". *Thinking Through Things. Theorizing Artefacts Ethnographically*. Londres: Routledge.

Hermannstädter, Anita. (ed.). 2002. *Deutsche am Amazonas. Forscher oder Abenteurer? Expeditionen in Brasilien 1800 bis 1914*. Berlín: Staatliche Museen zu Berlin, Preussischer Kultubesitz.

Hertz, Robert. 1990. *La muerte. La mano derecha*. México: Consejo Nacional para la Cultura y las Artes.

Hieb, Louis A. 1979. "Hopi World View". *Handbook of North American Indians* 9. Ed. Alfonso Ortiz. Washington D.C.: Smithsonian Institution. 577-586.

Hoffman, Walter J. 1896. "The Menomini Indians". *14th Annual Report of the Bureau of American Ethnology*. Washington D.C.: Smithsonian Institution.

Holbraad, Martin y Morten Axel Pederson. 2017. *The Ontological Turn. An Anthropological Exposition*. Cambridge: Cambridge University Press.

Houseman, Michael y Carlo Severi. 1998. *Naven or the Other Self. A Relational Approach to Ritual Action*. Leiden: Brill.

Houston, Stephen D. 2014. *The Life Within: Classic Maya and the Matter of Permanence*. New Haven and London: Yale University Press.

Howard, James H. 1968. *The Southeastern Ceremonial Complex and its Interpretation*. Columbia: Missouri Archaeological Society. Memoir Nº 6.

Hudson, Charles. 1976. *The Southeastern Indians*. Knoxville: University of Tennessee Press.

–. 1984. *Elements of Southeastern Indian Religion*. Iconography of Religions X:1. Institute of Religious Iconography State University of Groningen. Leiden: E. J. Brill.

–. 1997. *Knights of Spain, Warriors of the Sun. Hernando de Soto and the South's Ancient Chiefdoms*. Athens: The University of Georgia Press.

Hultkrantz, Åke. 1967. *The Religions of the American Indians*. Berkeley: University of California Press.

Humphrey, Carolyn y James Laidlaw. 1994. *The Archetypal Actions of Ritual. A theory of ritual illustrated by the Jain rite of worship*. Oxford: Clarendon Press.

Hyde, George. 1951. *The Pawnee Indians*. University of Denver Press.

Jáuregui, Jesús (comp.). 2008. "Mesoamérica y la discusión de áreas culturales". *Antropología* 82. 3-99.

Jáuregui, Jesús y Johannes Neurath. 2003. "Seler, Preuss y las culturas del Gran Nayar" *Flechadores de estrellas. Nuevas aportaciones a la etnología de coras y huicholes*. Eds. Jesús Jáuregui y Johannes Neurath. México: Instituto Nacional de Antropología e Historia, Universidad de Guadalajara. 19-33.

Jáuregui, Jesús y Johannes Neurath (eds.). 1998. *Fiestas, literatura y magia en el Nayarit. Ensayos sobre coras, huicholes y mexicaneros de Konrad Theodor Preuss*. México: Centro Francés de Estudios Mesoamericanos y Centroamericanos, Instituto Nacional Indigenista.

John, Gareth E. 2004. "Benevolent imperialism: George Catlin and the practice of Jeffersonian geography". *Journal of Historical Geography* 30. 597-617.

Jungbluth, Hans. 1933. *Konrad Theodor Preuss und seine religionsgeschichtlichen Grundanschauungen.* Tesis de Doctorado. Bonn: Universidad de Bonn.

Kany, Roland. 1987. *Mnemosyne als Programm. Geschichte, Erinnerung und die Andacht zum Unbedeutenden im Werk von Usener, Warburg und Benjamin. Tubinga: Max Niemeyer.*

Kasprycki, Sylvia. 2000. "Sudeste". *Culturas de los indios norteamericanos.* Ed. Christian F. Feest. Colonia: Könemann. 148-183.

Kelley, Charles J. 1952. "Some Geographical and Cultural Factors Involved in Mexican-Southeastern Contacts". *XXIX Congreso Internacional de Americanistas.* Chicago 1949. V. 3. Chicago: University of Chicago Press. 139-144.

–. 1966. "Mesoamerica and the Southwestern United States". *Handbook of Middle American Indians* 4. Eds. Gordon Eckholm y Gordon Willey. Austin: University of Texas Press. 95-110.

–. 1974. "Speculations on the Culture History of Northwestern Mesoamerica". *The Archaeology of West Mexico.* Ed. Betty Bell. Ajijic: Sociedad de Estudios Avanzados del Occidente de México. 19-39.

Kindl, Olivia. 2003. *La jícara huichola. Un microcosmos mesoamericano.* México: Instituto Nacional de Antropología e Historia.

Kirchhoff, Paul. 1943. "Mesoamérica". *Acta americana* 1. 92-107.

–. 1954. "Gatherers and Farmers in the Greater Southwest: A Problem of Classification". *American Anthropologist* N.S. 56:4. 529-550.

Kisch, Egon Erwin. 1944. "Investigaciones mexicanistas entre los nazis". *Descubrimientos en México.* México: Editorial Nuevo Mundo. 204-210.

Klauber, Laurence N. 1932. *A Herpetological Review of the Hopi Snake Dance*. San Diego: Bulletins of the Zoological Society of San Diego 9.

–. 1956. *Rattlesnakes. Their Habits, Life Histories, and Influence on Mankind.* 2 volúmenes. Berkeley: University of California Press.

Klein, Cecilia. 2000. "The Devil and the Skirt: An Iconographic Inquiry into the Prehispanic Nature of the Tzitzimime". *Estudios de Cultural Nahuatl* 31. 17-62.

–. 2008. "A New Interpretation of the Aztec Statue Called Coatlicue, 'Snakes-Her-Skirt'". *Ethnohistory* 55:2. 229-250.

Knab, Tim J. 1991. "Geografía del inframundo". *Estudios de Cultura Náhuatl* 21. 31- 57.

Knowles, Nathaniel. 1940. "The Torture of Captives by the Indians of Eastern North America". *Proceedings of the American Philosophical Society* 82:2.

Kohl, Karl-Heinz. 1988-2001. "Naturmythologie". *Handbuch religionswissenschaftlicher Grundbegriffe.* V. 4. Eds. Hubert Cancik, Burkhard Gladigow y Matthias Samuel Laubscher. Stuttgart: Kohlhammer.

Kopenawa, Davi, y Bruce Albert. 2010. *The Falling Sky. Words of a Yanomami Shaman:* Cambridge: Harvard.

Krieger, Alex D. 1945. "An Inquiry into Supposed Mexican Influences on a Prehistoric 'Cult' in the Southern United States". *American Anthropologist* N.S. 47.4. 483-515.

–. 1953. "Recent Developments in the Problem of Relationship between the Mexican Gulf Coast and Eastern United States". *Huastecos, totonacos y sus vecinos.* Eds. Ignacio Bernal y Eusebio Dávalos. Revista mexicana de Estudios Antropológicos 13. México: Sociedad Mexicana de Antropología. 497-518.

Krickeberg, Walter. 1961. *Las antiguas culturas mexicanas.* México: Fondo de Cultura Económica.

Kroeber, Alfred L. 1931. "*The Culture-area and Age-area Concepts of Clark Wissler*". *Methods in Social Science.* Ed. S. Rice. Chicago: University of Chicago Press. 248-265.

1939. *Cultural and Natural Areas of Native North America.* Berkeley: University of California Publications in American Archaeology and Ethnology.

Kutscher, Gerdt. 1976. "Berlín como centro de estudios americanistas. Ensayo bio-bibliográfico". *Indiana. Suplemento 7.* Berlín: Ibero-Amerikanisches Institut, Preussischer Kulturbesitz, Gebründer Mann Verlag.

Lagrou, Els. 2011. "Le graphisme sur les corps amérindiens. Des chimères abstraites?" *Gradhiva* 13. 69-93.

–. 2017. "El grafismo indígena como técnica de alteración de la mirada: la quimera abstracta". *Mostrar y ocultar en el arte y en los rituales: perspectivas comparativas.* Eds. Johannes Neurath y Guilhem Olivier. México: Instituto de Investigaciones Históricas, Universidad Nacional Autónoma de México. 29-73.

Landrove, Hilda. 2016. *Otredad, ritual y construcción social: el caso de la presencia teotihuacana en el Yaxchilan del Clásico Temprano.* Tesis de Maestría en Estudios Mesoamericanos. México: Universidad Nacional Autónoma de México.

Lankford, George E. 2004. "World on a String: Some Cosmological Components of the Southeastern Ceremonial Complex". *Hero, Hawk, and Open Hands. American Indian art of the Ancient Midwest and South.* Ed. Richard F. Townsend. Chicago: Art Institute of Chicago.

–. 2007a. "Some Cosmological Motifs in the Southeastern Ceremonial Complex". *Ancient Objects and Sacred Realms. Interpretations of Mississippian Iconography.* Eds. F. Kent Riley III y James F. Garber. Austin: University of Texas Press. 8-38.

–. 2007b. "The Great Serpent in Eastern North America". En *Ancient Objects and Sacred Realms. Interpretations of Mississippian Iconography.* Eds. F. Kent Riley III y James F. Garber. Austin: University of Texas Press. 107-135.

Latour, Bruno. 1993. *We Have Never Been Modern.* Cambridge: Harvard University Press.

–. 2002. "Cosmopolitiques, quels chantiers?" *Cosmopolitiques* 1. 1-10.

–. 2004. "Whose cosmos, which cosmopolitics? Comments on the Peace Terms of Ulrich Beck". *Common Knowledge* 10:3. 450-462.

Le Page du Pratz, Antoine. 1785. *Histoire de la Louisiane.* París.

Leenhardt, Maurice. 1997 [1947]. *Do kamo. La persona y el mito en el mundo melanesio.* Barcelona: Paidós.

Lehmann, Friedrich Rudolf. 1939. "K. Th. Preuss, 1869-1938". *Zeitschrift für Ethnologie* 71. 145-150.

–. 1952. "Der Begriff 'Urdummheit' in den ethnologischen und religionswiss. Anschauungen v. Konrad Theodor Preuss, Ad. E. Jensen u. G. Murray". *Sociologus* N.S. 2. 131-145.

Lehmann, Walter. 1938. *Die Geschichte der Königreiche von Colhuacan und Mexiko*. Quellenwerke zur alten Geschichte Amerikas aufgezeichnet in den Sprachen der Eingeborenen 1. Berlín: Ibero-Amerikanisches Institut Preussischer Kulturbesitz.

Lessing, Gotthold Ephraim. 1964 [1766]. *Laokoon oder Über die Grenzen der Malerei und Poesie*. Stuttgart: Reclam.

Lévi-Strauss, Claude. 1952. "Le Père Noël Supplicié". *Les Temps modernes* 77. 1572-1590.

–. 1955. *Tristes Tropiques*. París: Plon.

–. 1976 [1964]. *Mythologica 1. Das Rohe und das Gekochte*. Francfort: Meno Suhrkamp.

–. 1992 [1958; 1944] "El desdoblamiento de la representación en el arte de Asia y América". *Antropología estructural*. Barcelona: Paidós. 263-296.

–. 1992 [1958]. *Antropología estructural*. Barcelona: Paidós.

–. 1992 [1968]. *El origen de las maneras de la mesa. Mitológicas III*. México: Siglo XXI.

–. 1994 [1962]. *El pensamiento salvaje*. México: Fondo de Cultura Económica.

–. 2008 [1942]. "Indian Cosmetics". *Lévi-Strauss, le passage du Nord-Ouest*. Claude Imbert y Claude Lévi-Strauss. Paris: L'Herne. 13-39.

Linton, Ralph. 1926. "The Origin of the Skidi Pawnee Sacrifice of the Morning Star". *American Anthropologist* N. S. 16. 457-466.

Lira, Regina. 2014. *L'alliance entre la Mère Maïs et le Frère Aîné Cerf: action, chant et image dans un rituel wixárika (huichol) du Mexique*. Tesis de Doctorado. Paris: École Pratique des Hautes Études.

López Austin, Alfredo. 1980. *Cuerpo humano e ideología. Las concepciones de los antiguos nahuas*. México: Instituto de Investigaciones Antropológicas, Universidad Nacional Autónoma de México.

–. 1994. *Tamoanchan y Tlalocan*. México: Fondo de Cultura Económica.

López Caballero, Paula, Ariadna Acevedo-Rodrigo y Paul K. Eiss. 2018. *Beyond Alterity. Destabilizing the Indigenous Other in Mexico*. Tucson: The University of Arizona Press.

López Luján, Leonardo. 2009. "La Coatlicue". *Escultura monumental mexica*. Eduardo Matos Moctezuma y Leonardo López Luján. México: Consejo Nacional para la Cultura y las Artes (CONACULTA), Instituto Nacional de Antropología e Historia. 115-229.

Lorente, David. 2011. *La razzia cósmica. Una concepción nahua sobre el clima*. México: Centro de Investigaciones y Estudios Superiores en Antropología Social.

Lührmann, Sonja. 2000. "Subarktis". *Culturas de los indios norteamericanos*. Ed. Christian F. Feest. Colonia: Könemann. 70-103.

Lumholtz, Carl S. 1900. "Symbolism of the Huichol Indians". *Memoirs of the American Museum of Natural History* 3:1. 1-291.

–. 1902. *Unknown Mexico. A Record of Five Year's Exploration Among the Tribes of the Western Sierra Madre; in the Tierra Caliente of Tepic and Jalisco; and Among the Tarascos of Michoacan.* 2 volúmenes. New York: Charles Scribner's Sons.

–. 1986. *El arte simbólico y decorativo de los huicholes.* México: Instituto Nacional Indigenista.

Luna, Anahí. 2013. "El hombre-cacao de Xochicalco". *Artes de México* 110. 20-23.

Lupo, Alessandro. 1999. "Nahualismo y tonalismo". *Arqueología Mexicana. Los animales en el México prehispánico* VI:35, enero-febrero. 16-23.

MacNeish, Richard S. 1948. "A Preliminary Report on Coastal Tamaulipas, Mexico". *American Antiquity* 13:1. 1-15.

Malotki, Ekkehart. 2000. *Kokopelli. The Making of an Icon.* Lincoln: University of Nebraska Press.

–. 2002. *Hopi Tales of Destruction.* Lincoln: University of Nebraska Press.

Mannhardt, Wilhelm. 1968. *Die Korndämonen. Beitrag zur germanischen Sittenkunde.* Berlín: Ferdinand Dümmler's Verlagsbuchhandlung.

–. 1975. *Wald- und Feldkulte 1. Der Baumkultus der Germanen und ihrer Nachbarstämme. Mythologische Untersuchung.* Berlín: Gebrüder Borntraeger.

–. 1977. *Wald- und Feldkulte 2. Antike Wald- und Feldkulte aus nordeuropäicher Überlieferung.* Berlín: Gebrüder Borntraeger.

Marett, Robert R. 1900. "Preanimistic Religion". *Folklore* 11. 162-182.

Martínez, Isabel. 2010. "De owirúame y sueños: el conflicto como elemento constitutivo de la sociabilidad rarámuri". *Chamanismo y curanderismo: nuevas perspectivas.* Coord. Laura Romero. México: Benemérita Universidad Autónoma de Puebla. 97-108.

–. 2016. "Los diseños de la cestería seri. Ensayo sobre técnicas de vinculación social". *Anales del Instituto de Investigaciones Estéticas* XXXVIII: 109. 135-170.

Martínez, Roberto. 2011. *El nahualismo.* México: Universidad Nacional Autónoma de México, Instituto de Investigaciones Históricas.

Matos Moctezuma, Eduardo. 1987. "Symbolism of the Templo Mayor". *The Aztec Templo Mayor.* Ed. Elizabeth H. Boone. Washington D.C.: Dumbarton Oaks, Trustees for Harvard University. 185-209.

Mauss, Marcel. 1974 [1904-1905]. "K. Th. Preuss, 'Der Ursprung der Religion und Kunst'". *Oevres 2 Représentations collectives et diversité des civilisations.* Paris: Minuit, 215 y 242-243.

Marx, Karl. 1867. Das Kapital. Erster Band. Buch I: Der Produktionsprocess des Kapitals. Hamburg: Verlag von Otto Meissner.

Mazzetto, Elena. 2016. "La veintena de Ochpaniztli. Una posible metáfora de crecimiento del maíz en los espacios del Templo Mayor de México-Tenochtitlan". *El maíz nativo en México. Una aproximación desde los estudios rurales.* Eds. Ignacio López Moreno e Ivonne Vizcarra Bordi. México: Universidad Autónoma Metropolitana. 65-92.

Medina Miranda, Héctor. 2006. *Las andanzas de los dioses continúan: mitología Wixarika del Sur de Durango*. Tesis de Maestría en Antropología. México: Universidad Nacional Autónoma de México.

Méndez, Juan y Laura Romero. 2015. "El canto de seducción y la cacería del temazate". *Artes de México* 117. 36-39.

Mendieta, Fray Gerónimo de. 1997. *Historia Eclesiástica Indiana*. México: Consejo Nacional para la Cultura y las Artes, Cien de México.

Michaud, Phillipe-Alain. 1999. "Florenz in New México. Das Festwesen von 1589 im Lichte der indianischen Rituale". *Grenzerweiterungen. Aby Warburg in Amerika 1895-1896*. Eds. Benedetta Castelli Guidi y Nicholas Mann. Hamburgo y Munich: Dölling und Galitz Verlag. 53-63.

–. 2004. *Aby Warburg and the Image in Motion*. Nueva York: Zone Books.

Milbrath, Susan. 2007. "Astronomical Cycles in the Imagery of Codex Borgia 29-46". *Cultural Astronomy in New World Cosmologies*. Eds. Clive Ruggles y Gary Urton. Boulder: University Press of Colorado. 157-207.

–. 2013. *Heaven and Earth in Ancient Mexico. Astronomy and Seasonal Cycles in the Codex Borgia*. Austin: University of Texas Press.

Miller, Mary Ellen y Karl Taube. 1993. *The Gods and Symbols of Ancient Mexico and the Maya*. London: Thames and Hudson.

Miller, Mary Ellen y Linda Schele. 1986. *The Blood of Kings. Dynasty and Ritual in Maya Art*. Fort Worth: Kimbell Art Museum.

Milner, George R. 2004. *The Moundbuilders. Ancient Peoples of Eastern North America*. London: Thames and Hudson.

Mitchell, William J. Thomas. 2005. *What Pictures Want. The Lives and Loves of Images*. Chicago: Chicago University Press.

Momigliano, Arnaldo. 1982. *Aspetti di Hermann Usener, filólogo della religione*. Pisa: Giardini Editori e Stampatori.

Monaghan, John. 1990. "Sacrifice, Death, and the Origins of Agriculture in the Codex Vienna". *American Antiquity* 55. 559-569.

–. 1995. *The Covenants with Earth and Rain. Exchange, Sacrifice, and Revelation in Mixtec Sociality*. Norman: University of Oklahoma Press.

Mondragón, Carlos. 2009. *Personas partibles, sociedades fractales: Reflexiones en torno a escala y complejidad en Vanuatu*. México: Colegio de México.

Mooney, James. 1992 [1891, 1900]. *History, Myths, and Sacred Formulas of the Cherokees*. Introducción de George Ellison. Asheville: Historical Images.

Moser, Christopher L. 1973. *Human Decapitation in Ancient Mesoamerica*. Washington D.C.: Dumbarton Oaks.

Mosko, Mark S. 2010. "Partible penitents: Dividual personhood and Christian practice in Melanesia and the West". *Journal of the Royal Anthropological Institute* 16. 215-240.

Moxey, Keith. 2013. *Visual Time: The Image in History*. Durham: Duke University Press.

Müller, Friedrich Max. 1879. *Lectures on the origin and growth of religion as illustrated by the religions of India*. New York: Charles Scribner's Sons.

–. 1907. *Natural religion: the Gifford lectures delivered before the University of Glasgow in 1888*. London y New York: Longmans, Green and Co.

Murie, James R. 1913. "Pawnee Indian Societies". *Anthropological Papers* 11. Nueva York: American Museum of Natural History.

–. 1981. *Ceremonies of the Pawnee, Part I: The Skidi*. Ed. Douglas R. Parks. Smithsonian Contributions to Anthropology 27. Washington: Smithsonian Institution Press.

Murray, Gilbert. 1912. *Four stages of Greek religion: studies based on a course of lectures delivered in April 1912 at Columbia University*. Nueva York: Columbia University Press.

Myerhoff, Barbara. 1974. *Peyote Hunt. The Sacred Journey of the Huichol Indians*. Ithaca y Londres: Cornell University Press.

Navarrete, Federico. 2010. "Descifrar el mundo maya: Una selva de Reyes, de Linda Schele, y El cosmos maya, de Linda Schele, David Freidel y Joy Parker". *Letras Libres* 17. 96.

Negrín, Juan. 1975. *The Huichol Creation of the World. Yarn Tablas by José Benitez Sanchez and Tutukila Carillo*. Sacramento: E. B. Crocker Art Gallery.

Neurath, Johannes. 1991. *Spiro und der Südliche Zeremonielle Komplex aus der Sicht Mesoamerikas*. Tesis de Maestría. Universidad de Viena, Instituto de Etnología.

–. 1992. "Mesoamerica and the Southeastern Ceremonial Complex". *European Review of Native American Studies* 5:1. 1-8.

–. 1994. "El llamado complejo ceremonial del sureste y los posibles contactos entre Mesoamérica y la Cuenca del Mississippi". *Estudios de Cultura Náhuatl* 24. 315-350.

–. 2002. *Las fiestas de la Casa Grande: procesos rituales, cosmovisión y estructura social en una comunidad huichola*. México: Instituto Nacional de Antropología e Historia, Universidad de Guadalajara.

–. 2004. "El doble personaje del planeta Venus en las religiones indígenas del Gran Nayar: mitología, ritual agrícola y sacrificio". *Journal de la Société des Américanistes* 90:1. 93-118.

–. 2007 "Desenlace de una aventura etnológica". *Arte antiguo cora y huichol. La colección de Konrad T. Preuss*. México: Artes de México 85. 65-71.

–. 2008a. "Cacería y sacrificios rituales huicholes: entre depredación y alianza, intercambio e identificación". *Jornal de la Société des Américanistes* 94:1. 251-283.

–. 2008b. "La iconografía del Complejo Ceremonial del Sureste y el sacrificio de flechamiento pawnee: contribuciones analíticas desde la perspectiva mesoamericanista". *Por los caminos del maíz. Mito, ritual y cosmovisión en la periferia septentrional de Mesoamérica*. Ed. Johannes Neurath. México: Biblioteca Mexicana, Fondo de Cultura Económica, Consejo Nacional para la Cultura y las Artes (CONACULTA). 173-214.

–. 2008c. "Etnografía, epistemología y el proyecto de una antropología teóricamente dialógica". *Diario de Campo* 97. 52-63.

–. 2009. "Reflexividad ritual y visiones múltiples en un cuadro de José Benítez Sánchez". *Indiana* 26. Dossier *Ritual y reflexividad en las prácticas indígenas. Algunos ejemplos mexicanos*. Ed. Margarita Valdovinos. Berlin: Iberoamerikanisches Institut-SPK. 29-45.

–. 2010. "Simultanéité de visions: le nierika dans les rituels et l'art des Huichols". *La Fabrique des Images*. Ed. Philippe Descola. Paris: Musée du Quai Branly, Somogy editions d'art.

–. 2011. "Ambivalencias del poder y del don en el sistema político-ritual wixarika". *Los pueblos amerindios más allá del estado*. Eds. Federico Navarrete y Berenice Alcántara. México: Instituto Investigaciones Históricas-Universidad Nacional Autónoma de México.

–. 2013. *La vida de las imágenes. Arte huichol.* México: Artes de México, Consejo Nacional para la Cultura y las Artes (CONACULTA).

–. 2015 "Shifting Ontologies in Huichol Ritual and Art". *Anthropology and Humanism* 40:1. 58-70.

–. 2016. "El sacrificio de un cuchillo de sacrificio". *Revista Anthropologia* 59:1. 77-107.

–. 2007 (ed.). *Arte antiguo cora y huichol. La colección de Konrad T. Preuss*. Artes de México 85. México.

–. 2008 (ed.) *Por los caminos del maíz. Mito, ritual y cosmovisión en la periferia septentrional de Mesoamérica*. México: Biblioteca Mexicana, Consejo Nacional para la Cultura y las Artes (CONACULTA), Fondo de Cultura Económica (FCE).

Neurath, Johannes y Jesús Jáuregui. 1998. "La expedición de Konrad Theodor Preuss al Nayarit (1905-1907) y su contribución a la mexicanística". *Fiestas, literatura y magia en el Nayarit. Ensayos sobre coras, huicholes y mexicaneros de Konrad Theodor Preuss*. Eds. Jesús Jáuregui y Johannes Neurath. México: Centro Francés de Estudios Mesoamericanos y Centroamericanos, Instituto Nacional Indigenista. 15-60.

Newcomb, Franc Johnson y Gladys A. Richard. 1975 [1937]. *Sand Paintings of the Navajo Shooting Chant*. Nueva York: Dover.

Nicholson, Henry B. 1973. "Eduard Georg Seler (1849-1922)". *Guide to Ethnohistorical Sources, Handbook of Middle American Indians*. V. XIII. Part Two. Ed. Robert Wauchope. Austin: University of Texas Press. 348-369.

Nietzsche, Friedrich. 1872. *Die Geburt der Tragödie aus dem Geiste der Musik*. Leipzig: E.W. Fritzsch.

Nowotny, Karl A. 1961. *Tlacuilolli. Die mexikanischen Bilderhandschriften*. Serie Monumenta Americana III. Berlín: Ibero-Amerikanische Bibliothek, Gebr. Mann Verlag,

Olivier, Guilhem. 2003. *Mockeries and Metamorphoses of an Aztec God. Tezcatlipoca, "Lord of the Smoking Mirror"*. Boulder: University Press of Colorado.

–. 2015. *Cacería, sacrificio y poder en Mesoamérica. Tras las huellas de Mixcóatl, 'Serpiente de Nube'*. México: Fondo de Cultura Económica, Universidad Nacional Autónoma de México, Instituto de Investigaciones Históricas.

Ortíz, Alfonso. 1969. *The Tewa World. Space, Time, Being, and Becoming in a Pueblo Society*. Chicago: University of Chicago Press.

Ortner, Johannes. 1998. *Die Astronomie der Hopi. Eine ethnoastronomische Untersuchung zu Kalender und Weltbild einer rezenten Pueblokultur im Südwesten der USA*. Tesis de Maestría en Etnología. Viena: Universidad de Viena.

Pacheco, Ricardo Claudio. 2010. "Ambivalencia y escisión en el concepto de persona *wixarika* (huichol): El ritual mortuorio y su búsqueda para lograr la invisibilidad". Tesis de Maestría en Estudios Mesoamericanos. México: Universidad Nacional Autónoma de México

Parsons, Elsie Clews. 1939. *Pueblo Indian Religion.* 2 volúmenes. Chicago: The University of Chicago Press.

Parsons, Elsie Clews y Ralph L. Beals. 1934. "The Sacred Clown of the Pueblo and Mayo-Yaqui Indians". *American Anthropologist* New Series 36:4. 491-514.

Pellizzi, Francesco. 2002. "Structure and Quantum Leaps: Claude Lévi-Strauss's Early Study of the Traditional Arts". *Arte y Ciencia.* XXIV Coloquio Internacional de Historia del Arte, Universidad Nacional Autónoma de México. 215-228.

Peperstraete, Sylvie. 2006. "Los murales de Ocotelulco y el problema de la procedencia del Códice Borgia". *Estudios de Cultura Náhuatl* 37. 15-32.

Pérez Téllez, Iván. 2014. *El inframundo nahua a través de su narrativa.* México: Instituto Nacional de Antropología e Historia.

–. 2015. "La obscuridad necesaria en el chamanismo nahua". *Artes de México* 118. 54-61.

–. 2018 "¿Cómo tratar con la alteridad? Cosmopolítica indígena y bastones de mando". https://www.sinembargo.mx/22-12-2018/3512492?fbclid=IwAR1o7kM-l7ZNDL-5hEYcJLXPIzh30xlbozB2gjUmyrEihFHES1dLVeuJUHS8

Phillips, Philip. 1940. "Middle American Influences on the Archeology of the Southeastern United States". *The Maya and Their Neighbors.* Eds. Clarence. L. Hay, Ralph L. Linton, Samuel K. Lothrop, Harry L. Shapiro y George Vaillant. New York: Appleton-Century. 349-367

Phillips, Philip y James A. Brown. 1978. *Pre-Colombian Shell Engravings from the Craig Mound at Spiro, Oklahoma.* Cambridge: Peabody Museum of Archaeology and Ethnology.

Philips, Philip, James A. Ford y James B. Griffin. 1940-47.: *Archaeological Survey of the Lower Mississippi Valley, 1940-47.* Cambridge: Papers of the Peabody Museum 25.

Pitarch, Pedro. 2003. "Infidelidades indígenas". *Revista de Occidente* 270. 60-75.

–. 2010. *The Jaguar and the Priest. An Ethnography of Tzeltal Souls.* Austin: University of Texas Press.

–. 2012 "La ciudad de los espíritus europeos. Notas sobre la modernidad de los mundos virtuales indígenas". *Modernidades indígenas.* Eds. Pedro Pitarch y Gemma Orobitg. Madrid: Iberomericana Vervuert. 61-87.

–. 2013 *La cara oculta del pliege. Antropología indígena.* México: Artes de México-Consejo Nacional para la Cultura y las Artes (CONACULTA).

Pitrou, Perig. 2011. "El papel de "aquel que hace vivir" en las prácticas sacrificiales en de la Sierra Mixe de Oaxaca". *La noción de vida en Mesoamérica.* Eds. Perig Pitrou, María del Carmen Valverde y Johannes Neurath. México: Centro de Estudios Mayas, Universidad Nacional Autónoma de México, Centro de Estudios Mexicanos y Centroamericanos. 119-154.

–. 2015. "Life as a process of making in the Mixe Highlands (Oaxaca, Mexico): towards a 'general pragmatics' of life". *Journal of the Royal Anthropological Institute* 21:1. 86-105.

Pitrou, Perig, María del Carmen Valverde y Johannes Neurath (eds). 2011. *La noción de vida en Mesoamérica*. México: Centro de Estudios Mayas, Universidad Nacional Autónoma de México, Centro de Estudios Mexicanos y Centroamericanos.

Pitrou, Perig, Ludovic Coupaye y Fabien Provost (eds). 2016. *Actes du colloque Des êtres vivants et des artefacts, musée du quai Branly 2013*. https://actesbranly.revues.org/647

Plato. 1892. "Sophist". *The Dialogues of Plato translated into English with Analyses and Introductions by B. Jowett. M.A.* Five Volumes, 3rd edition revised and corrected. Oxford: Oxford University Press.

Preuss, Konrad Theodor. 1894. *Die Begräbnisarten der Amerikaner und Nordostasiaten.* Inaugural dissertation zur Erlangung der Doktorwürde von der philosophischen Fakultät der Albertus-Universität zu Königsberg in Preussen. Königsber: Hartungsche Buchdruckerei.

–. 1900. "Die Hieroglyphe des Krieges in den mexikanischen Bilderhandschriften". *Zeitschrift für Ethnologie* 32. 109-145.

–. 1901. "Kosmische Hieroglyphen der Mexikaner". *Zeitschrift für Ethnologie* 33. 1-47.

–. 1903a. "Die Feuergötter als Ausgangspunkt zum Verständnis der mexikanischen Religion in ihrem Zusammenhang". *Mitteilungen der Anthropologsichen Gesellschaft Wien.* V. 33. 129-233.

–. 1903b. "Die Sünde in der mexikanischen Religion", *Globus. Illustrierte Zetischrift für Länder- und Völkerkunde*, Brunswick 83:1.

–. 1904a. "Der Ursprung des Menschenopfers in Mexiko". *Globus. Illustrierte Zeitschrift für Länder- und Völkerkunde* 86:7. 108-119.

–. 1904b. "Phallische Fruchtbarkeits-Dämonen als Träger des altmexikanischen Dramas". Ein Beitrag zur Urgeschichte des mimischen Weltdramas". *Archiv für Anthropologie. Organ der Deutschen Gesellschaft für Anthropologie, Ethnologie und Urgeschichte*, N.F. 1:3. 129-188.

–. 1904-1905. *Der Ursprung der Religion und Kunst. Voläufige Mitteilung von K. Th. Preuss.* Publicado por entregas en *Globus. Illustrierte Zeitschrift für Länder- und Völkerkunde* 86 (20): 321-326, 86 (22): 355-363, 86 (23): 376-380, 86 (24): 389-393, 87 (19): 333-337, 87 (20): 347-350, 87 (22): 380-384, 87 (23): 394-400 y 87 (24): 413-419.

–. 1905a. "Der Kampf der Sonne mit den Sternen in Mexiko". *Globus. Illustrierte Zeitschrift für Länder- und Völkerkunde* 87:7. 136-140.

–. 1905b. "Der Einfluß der Natur auf die Religion in Mexiko und den Vereinigten Staaten". *Zeitschrift der Gesellschaft für Erdkunde* Berlin vols. 5-6. 361-380 y 433-460.

–.1906a. "Sonnenfeste der Altmexikaner und der Moki". *XIV Internationaler Amerikanisten-Kongress.* Stuttgart, 18-24 August, 1904. Leipzig: W. Kohlhammer Verlag. 343-344.

–. 1906b. "Der dämonische Ursprung des griechischen Dramas erläutert durch mexikanische Parallelen". Sobretiro *Neuen Jahrbüchern für das klassische Alterthum, Geschichte und deutsche Literatur und für Pädagogik*, B. G. Teubner, Leipzig, Jahrgang 1906, 2. segunda sección, vol. 18, N° 3. 161-193.

–. 1909. "Dialoglieder des Rigveda im Lichte der religiösen Gesänge mexikanischer Indianer". *Globus. Illustrierte Zeitschrift für Länder- und Völkerkunde* 95:3. 41-46.

–. 1910. "Naturbeobachtungen in den Religionen des mexikanischen Kulturkreises". *Zeitschrift für Ethnologie* 42:5. 793-804.

–.1912. *Die Nayarit-Expedition. Textaufnahmen und Beobachtungen unter mexikanischen Indianern 1. Die Religion der Cora-Indianer in Texten nebst Wörterbuch Cora-Deutsch.* Leipzig: B. G. Teubner.

–. 1914. *Die geistige Kultur der Naturvölker.* Leipzig: B.G. Teubner.

–. 1929. "Das Frühlingsfest im Alten Mexiko und bei den Mandan Indianern der Vereinigten Staaten von Nordamerika". *Donum Natalicum Schrijnen. Verzameling van opstellen door oud-leerlingen en bevriende vakgenooten opgedragen aan Mgr. Prof. Dr. Jos. Schrijnen bij Gelegenheid van zijn zestigsten verjaardag 3 Mei 1929.* Chartres: Imprimerie Durand. 825-837.

–. 1930. *Der Unterbau des Dramas.* Vorträge der Bibliothek Warburg VII. Leipzig: B. G. Teubner.

–. 1933. *Der religiöse Gehalt der Mythen.* Tübingen: J.C.B. Mohr.

–. 1998. *Fiesta, literatura y magia en el Nayarit. Ensayos sobre coras, huicholes y mexicaneros de Konrad Theodor Preuss.* Eds. Jesús Jáuregui y Johannes Neurath. México: Instituto Nacional Indigenista, Centro Francés de Estudios Mexicanos y Centroamericanos.

Preuss, Konrad Theodor y Ernst Mengin (eds.). 1937. *Historia Tolteca-Chichimeca.* Baessler Archiv. Berlin: Beiheft 9.

Pöge-Alder, Kathrin. 2007. *Märchenforschung: Theorien, Methoden, Interpretationen.* Tübingen; Günter Narr Verlag.

Questa Rebolledo, Alessandro. 2010. *Cambio de vista. Cambio de rostro. Parentesco ritual con no humanos entre los nahuas de Tepetzintla, Puebla.* Tesis de Maestría en Antropología. México: Universidad Nacional Autónoma de México.

–. 2013. "Visible dancers and invisible hunters. Divination, Dancing and Masking among the highland Nawa of Eastern Mexico". Ponencia presentada en Coloquio *The Invention of Culture in America*, 20-24 de mayo. Trujillo.

–. 2016. "Mining Spirits. An Ethnographic Account of Modernity and indigenous knowledge in the Northern Highlands of Puebla, Mexico". Paper presented at the *115th Annual Meeting of the American Anthropological Association.* November 16-20, Minneapolis.

–. 2017. *Dancing spirits. Towards a Masewal ecology of interdependence in the northern highlands of Puebla, Mexico.* Tesis de Doctorado en Antropología. University of Virginia.

Questa, Alessandro y Johannes Neurath. 2018 "Rostros de otros mundos". *Artes de México* 128. 8-19.

Quilter, Jeffrey. 1990. "The Moche revolt of the objects". *Latin American Antiquity* 1. 42-65.

Radin, Paul. 1923. "The Winnebago Tribe". *37th Annual Report of the Bureau of American Ethnology.* Washington, D.C.: Smithsonian Institution.

Ragot, Nathalie. 2016. "Chicomecóatl. La diosa del maíz en los códices del Centro de México". *Los códices mesoamericanos. Registros de religión, política y sociedad.* Coords. Ruz Barrio Miguel Ángel y Juan José Batalla Rosado. México: El Colegio Mexiquense. 137-150.

Ramírez, Maira. 2003. "La danza de los "urraqueros" (*ve'eme*)". *Flechadores de estrellas. Nuevas aportaciones a la etnología de coras y huicholes.* Eds. Jesús Jáuregui y Johannes Neurath. México: Instituto Nacional de Antropología e Historia, Universidad de Guadalajara. 387-410.

Reich, Hermann. 1903. *Der Mimus. Ein litterar-entwickelungsgeschichtlicher Versuch*. Berlín: Weidmannsche Buchhandlung.

Reilly III, F. Kent, y James F. Garber (eds.). 2007. *Ancient Objects and Sacred Realms. Interpretations of Mississippian Iconography*. Austin: University of Texas Press.

Reyes, J. Antonio. 2015. *The Perpetual Return of the Ancestors: An Ethnographic Account.* Tesis de Doctorado en Antropología. Universidad de St. Andrew's.

Reyes Equiguas, Salvador. 2006. *El huauhtli en la cultura náhuatl.* Tesis de Maestría en Estudios Mesoamericanos. México: Universidad Nacional Autónoma de México.

Riese, Berthold. 1991. "Preuss, Konrad Theodor". *International Dictionary of Anthropologists.* Eds. Christopher Winters. Nueva York: Garland Publishing. 550-551.

–. "Konrad Theodor Preuss". 2001. *Hauptwerke der Ethnologie.* Eds. Christian F. Feest y Karl-Heinz Kohl. Stuttgart: Alfred Kröner Verlag. 366-371.

Rio, Knut. 2007. "Denying the gift: Aspects of ceremonial exchange and sacrifice on Ambrym Island, Vanuatu". *Anthropological Theory* 7:4. 449-470.

Rodríguez Venegas, Citlali. 2014. *La ilusión turística: mazatecos, niños santos y güeros en Huautla de Jiménez, Oaxaca.* Tesis de Maestría en Estudios Mesoamericanos. México: Universidad Nacional Autónoma de México.

Rodríguez Zariñán, Nora. 2018. *De Nuestra Madre Águila Joven a Nuestra Madre Maíz. Acercamiento a la noción huichola de deidad a través de la noción huichola de persona.* Tesis de Maestría en Antropología. México: Universidad Nacional Autónoma de México.

Romero, Laura. 2011. *Ser humano y hacer el mundo: La terapéutica nahua en la Sierra Negra de Puebla*. Tesis de Doctorado en Antropología. México: Universidad Nacional Autónoma de México.

Rühle, Oskar. 1930. "Preuss, Konrad Theodor". *Die Religión in Geschichte und Gegenwart. Handwörterbuch für Theologie und Religionswissenschaft.* V. 4. Eds. Hermann Gunkel y Leopold Zscharnack. Tubinga: Verlag von J. C. B. Mohr, Paul Siebeck.

–. 1931. "Usener, Hermann". *Die Religión in Geschichte und Gegenwart. Handwörterbuch für Theologie und Religionswissenschaft* V. 5. Eds. Hermann Gunkel y Leopold Zscharnack. Tubinga: Verlag von J. C. B. Mohr, Paul Siebeck.

Sá, Lúcia. 2002. "Germans and Indians in South America". *Myth. A New Symposium* Eds. Gregory Schrempp y William Hansen. Bloomington: Indiana University Press. 61-71.

Sahagún, Fray Bernardino de. 1951-1982. *Florentine Codex: General History of the Things of New Spain*, 12 volúmenes. The School of American Research y University of Utah Press. Trad. del náhuatl Arthur J. O. Anderson y Charles Dibble.

–. 1988. *Historia general de las cosas de Nueva España*, 2 volúmenes. Eds. Alfredo López Austin y Josefina García Quintana. Madrid: Alianza editorial.

Sahlins, Marshall. 1985. "The Stranger-king; or, Dumézil among the Fijians". *Islands of History.* Chicago: University of Chicago Press. 73-103.

–. 1999. "What is Anthropological Enlightenment? Some Lessons of the Twentieth Century". *Annual Review of Anthropology* 28. I-XXIII.

–. 2008. "The stranger-king, or elementary forms of the politics of life". *Indonesia and the Malay World* 36:105. 177-199.

Salomon, Frank, y George L. Urioste (eds.). 1991. *The Huarochirí Manuscript.* Austin: University of Texas Press.

Santini, Carlotta. 2018. "Can Humanity be Mapped? Adolf Bastian, Friedrich Ratzel and the Cartography of Culture". *History of Anthropology Newsletter* 42. http://histanthro.org/notes/can-humanity-be-mapped/.

Santos-Granero, Fernando. 2009. "Introduction". *The Occult Life of Things: Native Amazonian Theories of Materiality and Personhood.* Ed. Fernando Santos-Granero. Tucson: The University of Arizona Press.

Saxl, Fritz. 1989 [1929-30]. "La creencia en las estrellas en el siglo xii". *La vida de las imágenes.* Madrid: Alianza.

Schaafsma, Polly. 1999. "Tlalocs, Kachinas, Sacred Bundles, and Related Symbolism in the Southwest and Mesoamerica" *The Casas Grande World.* Eds. Curtis F. Schaafsma y Caroll L. Riley. Salt Lake City: University of Utah Press. 164-192.

–. 2001. "Quetzalcoatl and the Horned and Feathered Serpent of the Southwest". *The Road to Aztlan: Art from a Mythic Homeland.* Eds. Virginia M. Fields y Victor Zamudio-Taylor. Los Angeles: Los Angeles County Museum. 138-149.

Schaefer, Stacy B. 1989. "The Loom and Time in the Huichol World". *Journal of American Lore* 15:2. 179-194

Schlesier, Renate. 1994. *Kulte, Mythen und Gelehrte. Anthropologie der Antike seit 1800.* Frankfurt: Fischer Wissenschaft.

Schoolcraft, Henry R. 1853-1857. *Information Respecting the History, Condition and Prospects of the Indian Tribes of the United States.* 6 volúmenes. Philaldelphia: J. B. Lippincott & Co.

Scott, Michael. 2013. "Nondualism is Philosophy not Ethnography: For the Motion. Steps to a Methodological Nondualism". The 2011 annual debate *Non-dualism is philosophy not ethnography.* Eds. Soumaya Venkatesan, Keir Martin, Michael W. Scott, Christopher Pinney, Nikolai Ssorin-Chaikov, Joanna Cook, Marilyn Strathern. The Group for Debates in Anthropological Theory (GDAT). The University of Manchester. The 2011 annual debate "Non-dualism is philosophy not ethnography". *Critique of Anthropology* 33:3. 300-360.

Seler, Eduard. 1899. "Die achtzehn Jahresfeste der Mexikaner (Erste Hälfte)". *Veröffentlichungen aus dem Kgl. Museum für Völkerkunde* V. VI. 67-209.

–. 1901. "Die Huichol-Indianer des Staates Jalisco in Mexiko", *Mitteilungen der Anthropologischen Gesellschaft in Wien.* Viena XXXI. 138-163.

–. 1902-23. *Gesammelte Abhandlungen zur Amerikanischen Sprach- und Alterthumskunde.* Ed. Caecilie Seler-Sachs. 5 volúmenes. Berlín: A. Asher.

–. 1904. *Codex Borgia. Eine altmexikanische Bilderschrift der Congregatio de Propaganda Fide.* V. 2: láminas 29-76. Berlín.

–. 1905. "Einige Bemerkungen zu dem Aufsatze Dr. K. Th. Preuss über den Einfluss der Natur auf die Religionen in Mexiko und in den Vereinigten Staaten". *Zeitschrift der Gesellschaft für Erdkunde zu Berlin.* Berlín 5: 461-463.

–. 1907. "Einiges über die natürlichen Grundlagen der mexikanischen Mythen", *Zeitschrift für Ethnologie. Organ der Berliner Gessellschaft für Anthropologie, Ethnologie und Urgeschichte*, Berlín 39: 1-41.

–. 1923. "Mythos und Religion der alten Mexikaner". *Gesammelte Abhandlungen zur Amerikanischen Sprach- und Alterthumskunde* 4. Ed. Caecilie Seler-Sachs. Berlín: Behrend & Co. 1-156.

Settis, Salvatore. 1997. "Pathos und Ethos, Morphologie und Funktion". *Vorträge aus dem Warburg-Haus* 1. Berlín: Akademie Verlag. 33-73.

Severi, Carlo. 1996 *La memoria ritual. Locura e imagen del blanco en una tradición chamánica amerindia.* Quito: Abya-Yala.

–. 2001. "Cosmology, Crisis, and Paradox: On the White Spirit in the Kuna Shamanic Tradition". *Disturbing Remains: Memory, History, and Crisis in the Twentieth Century.* Eds. M. S. Roth y Ch. G. Salas. Los Angeles Getty Research Institute. 178-206.

–. 2002. "Memory, reflexivity and belief. Reflexions on the ritual use of language". *Social Anthropology* V. 10:1. 23-40.

–. 2007. *Le Principe de la chimère: une anthropologie de la mémoire.* París: Aesthetica, Éditions Rue d'Ulm, Musée du Quai Branly.

–. 2010. *El sendero y la voz. Una antropología de la memoria.* Buenos Aires: Sb.

–. 2012. "Primitivist Emphaty". *Art in Translation* 4:1. 99-132.

–. 2017. *L'objet-personne: une anthropologie de la croyance visuelle.* París: Aesthetica, Éditions Rue d'Ulm, Musée du Quai Branly-Jacques Chirac.

Silverberg, Robert. 1968. *Moundbuildes of Ancient America. The Archeology of a Myth.* Greenwich: New York Graphic Society.

Sloterdijk, Peter. 1999. *Sphären II. Globen* (Sphaeres II Globes). Suhrkamp: Frankfurt am Main.

Šprajc, Ivan. 2001. *Orientaciones astronómicas en la arquitectura prehispánica del Centro de México.* México: Instituto Nacional de Antropología e Historia.

Stengers, Isabelle. 1996. *Cosmopolitiques.* Vol. 1. *La guerre des sciences.* Paris: La Découverte; Les Empêcheurs de penser en rond.

Stephen, Alexander M. 1936. *The Hopi Journal of Alexander M. Stephen.* Ed. Elsie Clews Parsons. 2 vols. Nueva York: Columbia University Press.

Steponaitis, Vincas P. 1986. "Prehistoric Archaeology in the Southeastern United States, 1970-1985". *Annual Review of Anthropology* 15. 363-404.

Stevenson, Matilda Coxe. 1905. "The Zuñi Indians". *23rd Annual Report, Bureau of American Ethnology.* Washington D.C.: Smithsonian Institution.

Strathern, Marilyn. 1988. *The Gender of the Gift. Problems with Women and Problems with Society in Melanesia.* Berkeley: University of California Press.

–. 2004. *Partial Connections*. Altamira Press, Walnut Creek.

Strong, John A. 1989. "The Mississippian Bird-Man Theme in Cross-Cultural Perspective". *The Southeastern Ceremonial Complex: Artifacts and Analysis. The Cottonlandia Conference*. Ed. Patricia Galloway. Lincoln: University of Nebraska Press. 205-210.

Stuart, David. 2012. *The order of days: the Maya world and the truth about 2012.* Nueva York: Harmony Books.

Sturtevant, Wiliam C. 1979. "Tribe and State in the Sixteenth and the Twentieth Centuries". *The Development of Political Organization in Native North America.* Ed. Elisabeth Tooker. Proceedings of the American Ethnological Society. Washington D.C.

Sullivan, Thelma. 1982. "Tlazolteotl-Ixcuina: The Great Spinner and Weaver". *The Art and Iconography of Late Post-Classic Central Mexico.* Ed. Elizabeth P. Benson. Washington D.C.: Dumbarton Oaks Research Library and Collections. 7-36.

–. 1997. *Primeros memoriales by Fray Bernardino de Sahagún. Paleography of Nahuatl Text and English Translation.* Norman: University of Oklahoma Press.

Soustelle, Jacques. 1955. *La vida cotidiana de los aztecas en vísperas de la Conquista.* México: Fondo de Cultura Económica.

Swanton, John R. 1910. "Sacrifice". *Handbook of the Indians North of Mexico.* Ed. Frederick W. Hodge, V. 2. Bureau of American Ethnology. Washington D.C.: Smithsonian Institution. 402-407

–. 1911. *Indian Tribes of the Lower Mississippi Valley and Adjacent Coast of the Gulf of Mexico.* Bulletin 73. Bureau of American Ethnology. Washington D.C.: Smithsonian Institution.

–. 1928. "Religious Beliefs and Medical Practices of the Creek Indians". *42nd Annual Report of the Bureau of American Ethnology.* Washington D.C.: Smithsonian Institution. 473-672.

–. 1942. *Source Material on the History and Ethnology of the Caddo Indians.* Bulletin 132. Bureau of American Ethnology. Washington D.C: Smithsonian Institution.

–. 1946. *The Indians of the Southeastern United States.* Bulletin 137. Bureau of American Ethnology. Washington D.C.: Smithsonian Institution.

Talayesva, Don C. 1970. *Sun Chief: The Autobiography of a Hopi Indian.* Second Edition Ed. Leo W. Simmons. Foreword to the Second Edition Mathew Sakiestewa Guilbert. Foreword to the First Edition Robert V. Hine. Yale University Press.

Tambiah, Stanley J. 1990. *Magic, Science, Religion, and the Scope of Rationality.* Cambridge: Cambridge University Press.

Taube, Karl A. 1988. "A Study of Classic Maya Scaffold Sacrifice". *Maya Iconography.* Eds. Elizabeth P. Benson y Gillett G. Griffin. Princeton: Princeton University Press. 330-351.

–. 2000. "Lighnting Celts and Corn Fetishes: The Formative Olmec and the Developement of Maize Symbolism in Mesoamerica and the American Southwest". *Olmec Art and Archaeology in Mesoamerica.* Eds. John E. Clark y Mary E. Pye. Washington D.C.: National Gallery of Art. 297-336.

–. 2001. "The Breath of Life: The Symbolism of Wind in Mesoamerica and in the American Southwest". *The Road to Aztlan: Art from a Mythic Homeland.* Eds. Virginia M. Fields y Victor Zamudio-Taylor. Los Ángeles: Los Ángeles County Museum. 102-123

Taussig, Michael T. 1980. *The Devil and Commodity Fetishism.* North Carolina: The University of North Carolina Press, Chapel Hill.

Taylor, AnneChristine. 2000. "Le sexe de la proie. Représentations jivaro du lien de parenté". *L'Homme. Revue française d'anthropologie* 145-155. 309-334.

–. 2003. "Les masques de la mémoire. Essai sur la fonction des peintures corporelles jivaro". *L 'Homme. Revue française d'anthropologie* 165. 223-248.

–. "Don Quichotte en Amérique. Claude Lévi-Strauss et l'anthropologie américaniste". *Lévi-Strauss.* Ed. Michel Izard. Paris: L'Herne. 92-98.

–. 2006. "Devenir jivaro. Le statut de l'homicide guerrier en Amazonie". *Cahiers d'anthropologie sociale* 2.

Taylor, Anne Christine, Eduardo Viveiros de Castro, Stéphane Breton y Michael Houseman. 2006.: *Qu'est-ce qu'un corps?* Flammarion, París: Musée du Quai Branly.

Edward B. Taylor. 1977 [1871]. *Cultura primitiva I. Los orígenes de la cultura.* Madrid: Editorial Ayuso

Tedlock, Barbara y Dennis Tedlock. 1985.: "Text and Textile: Language and Technology in the Arts of the Quiche Maya". *Journal of Anthropological Research* 41:2. 121-146.

Tedlock, Denis. 1979. "Zuni Religion and World View". *Handbook of North American Indians* 9. Ed. Alfonso Ortiz. Washington D.C.: Smithsonian Institution. 499-508.

Tedlock, Dennis (ed. y trad.). 1985. *Popol Vuh. The Mayan Book of the Dawn of Life.* Nueva York: Touchstone Book, Simon and Schuster.

Tezozomoc, Hernando Alvarado. 1987. *Crónica Mexicana anotada por Manuel Orozco y Berra, Códice Ramírez. Manuscrito del siglo XVI.* México: Editorial Porrúa.

Titiev, Micha. 1944. *Old Oraibi: A Study of the Hopi Pueblo of the Third Mesa.* Papers of the Peabody Museum. Cambridge: Harvard University.

Tooker, Elisabeth. 1971. "Clans and Moieties in North America". *Current Anthropology* 13:3. 357-376.

Torres, Gustavo. 2001. *Les visages de Soleil el Lune (Xëëw po'o yë' ajkxy ywiinjëjp): configurations calendaires, mythiques et rituels du temps chez del Mixes de l'Oaxaca, Mexique.* Tesis de Doctorado. Francia : École Pratique des Hautes Études.

Townsend, Richard F. (ed.). 2004. *Hero, Hawk, and Open Hands. American Indian art of the Ancient Midwest and South.* Chicago: Art Institute of Chicago.

Trejo, Leopoldo, Arturo Gómez Martínez, Mauricio González González, Claudia Guerrero Robledo, Israel Lazcarro Salgado y Sylvia Maribel Sosa Fuentes. 2015. *Sonata ritual. Cuerpo, cosmos y envidia en la Huasteca meridional.* Colección Etnografía de los pueblos indígenas de México. México: Instituto Nacional de Antropología e Historia.

Trouillot, Michel-Rolph. 1991. "Anthropology and the Savage Slot". *Recapturing Anthropology. Working in the Present.* Ed. Richard G. Fox. Santa Fe: School of American Research. 17-44.

Turner, Victor. 1967. *The Forest of Symbols. Aspects of Ndembu Ritual.* Ithaca: Cornell University Press.

Usener, Hermann. 1896. *Götternamen. Versuch einer Lehre von der religiösen Begriffsbildung.* Bonn: Verlag von Friedrich Cohen.

–. 1904a. "Heilige Handlung". *Archiv für Religionswissenschaft* 7. 281-339.

–. 1904b. "Mythologie", *Archiv für Religionswissenschaft* 7. 17

Valdovinos, Margarita. 2002. *Los cargos del pueblo de Jesús María (Chuisete'e): una réplica de la cosmovisión cora.* Tesis de Licenciatura en Etnología. México: Escuela Nacional de Antropología e Historia.

–. 2008a. *Les chants de* mitote náyeri. Une pratique discursive au sein de l'action rituelle. Tesis de Doctorado en Antropología. Paris Nanterre Université.

–. 2008b. "De la acción ritual a los cilindros de cera. Una nueva perspectiva de los cantos rituales recopilados por Konrad Theodor Preuss entre los coras del Occidente de México". *Baessler-Archiv.* 155-164.

–. 2010. "Acción y "multiempatía" en el estudio de las imágenes rituales". *Las artes del ritual. Nuevas propuestas para la antropología del arte desde el Occidente de México.* Ed. Elizabeth Araiza. El Colegio de Michoacán, Zamora. 245-265.

–. 2012 "La materialidad de la palabra. La labor etnolingüística de Konrad Theodor Preuss en torno a su expedición a México". *Baessler-Archiv* 60. 67-86.

Van der Leeuw, Gerardus. 1930. "Präanimismus". *Die Religion in Geschichte und Gegenwart. Handwörterbuch für Theologie und Religionswissenschaft* 4. Eds. Hermann Gunkel y Leopold Zscharnack. Tübingen: Verlag von J. C. B. Mohr y Paul Siebeck. 1366-1368

Van Gennep, Arnold. 1981 [1909]. *Les rites du pasage. Étude systématique des rites.* París: Picard.

Viveiros de Castro, Eduardo. 1992. *From the Enemy's Point of View: Humanity and Divinity in an Amazonian Society.* Chicago: University of Chicago Press.

–. 1993. "Le marbre et le myrthe. De l'inconstance de l'âme sauvage". *Mémoire de la tradition.* Eds. Aurore Becquelin y Antoinette Molinié. Nanterre: Société d'Ethnologie. 365-431.

–. 1998. "Cosmological Deixis and Amerindian Perspectivism". *Journal of the Royal Anthroplogical Institute* N.S. 4. 469-488.

–. 2002. *A inconstância da alma selvagem (e outros ensaios de antropologia).* Sao Paulo: Cosac & Naify.

–. 2007. "The Crystal Forest: Notes on the Ontology of Amazonian Spirits". *Inner Asia* 9. 153-172.

–. 2008. "The Gift and the Given: Three Nano-Essays on Kinship and Magic". *Kinship and beyond: The Genealogical Model Reconsidered.* Eds. Sandra Bamford y James Leach. Oxford: Berghahn Books. 237-268.

–. 2010a. *Metafísicas caníbales. Líneas de antropología postestructural.* Buenos Aires: Katz.

–. 2010b. "Claude Lévi-Strauss, fundador del pos-estructuralismo". *Lévi-Strauss: un siglo de reflexión.* Eds. María Eugenia Olavarría, Carlo Bonfiglioli y Saúl Millán. México: Universidad Autónoma Metropolitana, Juan Pablos Editor.

–. 2010c. "The Untimely, Again". Introducción a Pierre Clastres, *Archaeology of Violence.* MIT Press.

–. 2015. "Who's afraid of the ontological Wolf? Some comments on an ongoing anthropological debate". *Cambridge Anthropology* 33:1. 2-17.

Voth, Heinrich R. 1901. *The Oraibi Powamu Ceremony*. Anthropological Series III:2. Chicago: Field Columbian Museum. 64-158.

–. 1905. *The Traditions of the Hopi.* Anthropological Series VIII. Chicago: Field Columbian Museum. Publication 96. 30-38

Vretska, Karl. 1979. "Mimus". *Der Kleine Pauly. Lexikon der Antike. Tomo 3 Iuppiter - Nasidienus.* Eds. Konrat Ziegler y Walter Sonntheimer. Munich: Deutscher Taschenbuch Verlag. 1309-1314

Wagner, Roy. 1981. *The Invention of Culture*. Chicago: Chicago University Press.

–. 1991. "The Fractal Person". *Big Men and Great Men: Personification of Power in Melanesia*. Eds. Maurice Godelier y Marilyn Strathern. Cambridge: Cambridge University Press. 159-173.

–. 2012 [1987]. "Figure-Ground Reversal Among the Barok". *Hau* 2:1. 535-542.

Walker, James E. 1991. *Lakota Belief and Ritual.* Eds. Raymond J. DeMallie y Elaine A. Jahner. Lincoln: University of Nebraska Press.

Warburg, Aby. 1999. *The Renewal of Pagan Antiquity. Contributions to the Cultural History of the European Renaissance.* Los Angeles: The Getty Research Institute.

–. 2001. *Tagebuch der Kulturwissenschaftlichen Bibliothek Warburg*. Eds. Karen Michels y Charlotte Schoell-Glass. Berlín: Akademie Verlag.

–. 2004. *El ritual de la serpiente*. México. Sexto Piso

–. 2010. *Werke*. Frankfurt: Suhrkamp.

Waring, Antonio. 1968. "The Southern Cult and Muskogean Ceremonial". *The Waring Papers. The Collected Works of Antonio J. Waring.* Ed. Stephen Williams. Cambridge: Peabody Museum.

Waring, Antonio, y Preston Holder. 1945. "A Prehistoric Ceremonial Complex in the Southeastern United States". *American Anthropologist* N. S. 47:1. 1-34.

Waselkov, Gregory A., y Kathryn H. Braund (eds.). 2002. *William Bartram and the Southeastern Indians*. Lincoln: University of Nebraska Press.

Waters, Frank. 1963. *Book of the Hopi.* Viking Press.

Wedel, Waldo R. 1977. "Native Astronomy and the Plains Caddoans". *Native American Astronomy*. Ed. Anthony F. Aveni. Austin: University of Texas Press. 131-145.

Weltfish, Gene. 1977 [1965]. *The Lost Universe. Pawnee Life and Culture*. Lincoln: University of Nebraska Press.

Wessels, Antje. 2003. *Ursprungszauber. Zur Rezeption von Hermann Useners Lehre von der religiösen Begriffsbildung*. Leiden: De Gruyter.

Wilde, Guillermo. 2018. "La agencia indígena y el giro hacia lo global". *Historia Crítica* Nº 69. 99-114.

Will, George F., y George E. Hyde. 2002 [1917]. *Corn among the Indians of the Upper Missouri*. Lincoln: University of Nebraska Press.

Willerslev, Rane. 2007. *Soul Hunters. Hunting, Animism, and Personhood among the Siberian Yukaghirs*. Berkeley: University of California Press.

Wiseman, Boris. 2007. *Lévi-Strauss, Anthropology and Aesthetics*. Cambridge: Cambridge University Press

–. 2008. "Lévi-Strauss, Caduveo Body Painting and the Readymade: Thinking *Borderlines*". *Insights* 1:1. 1-20.

Wissler, Clark, y H. J. Spinden. 1916. "The Pawnee Human Sacrifice to the Morning Star". *American Museum Journal* 16. 49-55.

Wittgenstein, Ludwig. 1996 [1967]. *Observaciones a* La Rama Dorada *de Frazer*. Madrid: Tecnos.

Wittkower, Rudolf. 1938-39. "Eagle and Serpent. A Study in the Migration of Symbols". *Journal of the Warburg Institute* 2:4. 304-305.

Wolf, Eric W. 1999. *Envisiong Power. Ideologies of Dominance and Crisis*. Berkeley: University of California Press.

Wolf, Gerhard. 2016. "Image, Object, Art: Talking to a Chinese Jar on Two Human Feet". *Representations* 123. 152-157.

Woodbury, Richard B. 1979. "Zuni Prehistory and History to 1850". *Handbook of North American Indians* 9. Ed. Alfonso Ortiz. Washington D.C.: Smithsonian Institution. 467-481.

Young, Jane. 1994 "The Interconnection Between Western Puebloan and Mesoamerican Ideology/Cosmology". *Kachinas in the Pueblo World*. Ed. Polly Schaafsma. Albuquerque: University of New Mexico Press. 107-120.

Zamora, Alonso. 2015. *La antropología del tiempo ritual en la ritualidad maya clásica y contemporánea*. Tesis de maestría en Estudios Mesoamericanos. México: Universidad Nacional Autónoma de México.

–. 2016. "Deciphering Ontologies: Divination and "Infinition" in Classic Maya Inscriptions". *Revista de Antropología* 59: 3. 73-89. http://www.revistas.usp.br/ra/article/view/124808

–. 2018. "Wild gods at the end of time: nature, culture and divinity among the Maya K'iche'". Manuscrito.

–. 2019. *Ceci n'est pas Coatlicue*: sobre el monolito de la diosa decapitada del Templo Mayor. Manuscrito.

Otros títulos de la colección Paradigma Indicial

El sendero y la voz. Una antropología de la memoria

Carlo Severi

978-987-1256-64-8 / 367 págs.

¿Por qué tenemos la costumbre de llamar solo 'orales' a las tradiciones de los pueblos que no conocen la escritura? Un gran número de etnografías muestra que, con frecuencia, estas tradiciones son al menos tan iconográficas como orales, fundadas tanto sobre el uso de la imagen como sobre el de la palabra.

La oposición entre tradición oral y tradición escrita que prevalece en la antropología actual y en muchas disciplinas de carácter histórico y lingüístico no es falsa sino falaz, y contiene varias trampas intelectuales. Al presentar la oralidad como opuesta a la escritura, por ejemplo, impide comprender su modo de funcionamiento específico. Además, oculta el hecho de que, entre los polos extremos de la oralidad pura y el uso exclusivo de la escritura, existen numerosas situaciones intermedias.

Casi siempre se ha estudiado el dibujo 'primitivo' como si fuera un intento (fallido) de inventar una escritura. Esta obra propone justamente lo inverso: considerar a estos grafismos como el producto de un proceso que conduce a la invención de artes no occidentales de la memoria.

Inútil buscar una imitación rudimentaria de la realidad en estos dibujos. Su forma moviliza la mirada e invita a descifrarlos. Ellos son el testimonio visible de una serie de operaciones mentales que generan imágenes intensas y fragmentarias a la vez. Esta obra abre un nuevo campo de investigación que atraviesa la historia del arte y el conjunto de las ciencias sociales. Nace así el proyecto de una antropología de la memoria.

Arte y agencia.
Una teoría antropológica

Alfred Gell

Presentación y revisión técnica de Guillermo Wilde

Serie: Arte, Estética e Imagen
978-987-1984-58-9 / 336 págs.

¿Qué subyace al poder seductor del arte? En esta obra Alfred Gell propone una teoría que se aparta radicalmente de las interpretaciones anteriores. Critica que las teorías estéticas adopten una posición demasiado pasiva con res-pecto de los objetos y, en cambio, hace hincapié en el arte como forma de acción instrumental, concibiendo la elaboración de las cosas como medio de influir en los pensamientos y actos de los demás. Los objetos de arte son la materialización de intenciones complejas y sirven de medio para transmitir la agencia social. La conceptualización de Gell conduce a la fusión de los objetos de arte con las personas. El autor también analiza, entre otros temas, la psicología de los patrones y la percepción; el arte y la personalidad; el arte en relación con las prácticas religiosas como la posesión espiritual, la idolatría y la misa católica; y el significado del arte para el artista, el visitante de galerías y el adorador de ídolos.

El detallado razonamiento de Gell –enriquecido por las diversas ilustraciones que lo acompañan, así como por un análisis del arte europeo y «etnográfico»– toca ámbitos relacionados con la filosofía, la psicología y la lingüística. El autor completó la versión inglesa de poco antes de su fallecimiento a los 51 años. Esta obra encarna la brillantez de su intelecto, el vivaz ingenio, el vigor y la erudición por los que era tan admirado, y conforma el testimonio duradero de que estuvimos ante uno de los antropólogos con mayor talento de su generación.

«Es una obra notable, ingeniosa, elegante, amplia en su enfoque y brillante en los detalles. El libro sabe qué hacer con los límites de la forma. Aquí vemos la manera por la que la antropología podría superarse a sí misma».

Marilyn Strathern, miembro de la British Academy,
catedrática de Antropología, University of Cambridge

Trabajo de campo en América Latina
Experiencias antropológicas regionales en etnografía

ROSANA GUBER (COORDINADORA GENERAL)

Cornelia Eckert (Brasil), Myriam Jimeno (Colombia) y Esteban Krotz (México) (Coordinadores)

César Ernesto Abadía Barrero (Colombia); José Alejos García (Guatemala); Jeanine Anderson Roos (Perú): Roberto Cardoso de Oliveira (Brasil); Ángela Castillo (Colombia); Luis Cayón (Colombia); Leticia D'Ambrosio (Uruguay); Cornelia Eckert (Brasil); Diego Escolar (Argentina); Ricardo Falla Sánchez (Guatemala); Patricia Fasano (Argentina); Claudia Fonseca (Brasil); Angela Giglia (México); Rosana Guber (Argentina); Esther Álvarez de Hermitte (Argentina); Myriam Jimeno (Colombia); Esteban Krotz (México); Salvador Maldonado Aranda (México); Ángel Palerm Vich (México); Mariza Peirano (Brasil); Francisca Pérez Pallares (Chile); María Yaneth Pinilla Alfonso (Colombia); Mercedes Prieto (Ecuador). Julieta Quirós (Argentina); Susana Ramírez Hita (Bolivia); Marilin Rehnfeldt (Paraguay); Ana Luiza Carvalho da Rocha (Brasil); Onésimo Rodríguez Aguilar (Costa Rica); Héctor Camilo Ruiz Sánchez (Colombia); Isabelle Sánchez-Rose (Venezuela); Juan Luis Sariego Rodríguez (México); Sánchez-Rose (Venezuela); Juan Carlos Skewes Vodanovic (Chile); Daniel Varela (Colombia); Gilberto Cardoso Alves Velho (Brasil); Hebe Vessuri (Argentina-Venezuela); Alba Zaluar (Brasil).

Tomo I: 978-987-4434-42-5 - Tomo II: 978-987-4434-43-2

Esta obra satisface una imperiosa necesidad: reconocer y poner en diálogo la incesante e inclaudicable labor de los antropólogos latinoamericanos como investigadores de campo. Reúne a 37 autores en 30 artículos -algunos inéditos- que reflexionan sobre el lugar de las experiencias etnográficas en la producción de conocimiento sobre y desde la Argentina, Bolivia, Brasil, Chile, Colombia, Costa Rica, Ecuador, Guatemala, México, Paraguay, Perú, Uruguay y Venezuela.

Estas reflexiones se agrupan en seis secciones, concentradas en las primeras reflexiones sistemáticas de grandes hacedores de la antropología profesional en el continente, la articulación del trabajo de campo con la etnografía, la persona del investigador, la reflexividad, la experiencia docente, el trabajo de campo en las ciudades, las alternativas metodológicas en proyectos aplicados, en consultorías y en coyunturas críticas, y cómo pensar y hacer etnografía en situaciones de peligro para los investigadores y para sus interlocutores en el campo y en la academia. La obra concluye con un anexo de referencias bibliográficas latinoamericanas sobre trabajo de campo y etnografía. Un sitio especial se destina a colegas que, con sus textos y trayectorias, colaboraron decididamente a la realización, difusión e institucionalización de las antropologías en América Latina. En sus proyectos y en sus logros el trabajo de campo siempre tuvo un sitio clave y destacado.

La etnohistoria de América
Los indígenas,
protagonistas de su historia

José Luis de Rojas

Serie: Historia Americana
978-987-1256-23-5 / 144 págs.

La Etnohistoria surgió en América para estudiar a los indígenas. En principio, solamente se dedicaba a los indios de las praderas de los Estados Unidos, pero rápidamente fue acogida por los estudiosos del mundo prehispánico y colonial como una herramienta muy útil para solucionar los problemas específicos que dichas investigaciones planteaban. Conforme estas se desarrollaron, se hizo más compleja y más interesante.

En los estudios prehispánicos solamente se puede aplicar a los últimos tiempos en los Andes y Mesoamérica, aunque está por definir qué hacer con los numerosos textos que el desciframiento de la escritura maya ha suministrado. Pero en el período colonial tiene un gran campo de acción que trajo como consecuencia principal el poder poner a los indígenas en el papel de protagonistas de su historia, tanto a los que vivían al margen de la sociedad colonial como a los que lo hacían dentro de ella, ocupando distintos espacios que hasta ahora no se habían valorado. Este éxito de la Etnohistoria ha extendido su utilidad al estudio de las poblaciones indígenas de otras partes del mundo e incluso puede hacerlo al estudio de diferentes grupos que vivían en el interior de la sociedad europea occidental. También se está convirtiendo en una metodología clave para el estudio de sociedades prehistóricas cuyo análisis presenta muchos puntos en común con el estudio de los indígenas americanos.

Historia de la etnohistoria, métodos y fuentes, relaciones e investigaciones puntuales se agrupan en estas páginas con el objeto de contribuir a la expansión de la etnohistoria en el tiempo y el espacio.

José Luis de Rojas es Doctor en Historia de América por la Universidad Complutense de Madrid. Profesor Titular de Universidad en el Departamento de Historia de América II (Antropología de América) de la Facultad de Geografía e Historia de la UCM, desde 1997.

Religión y poder en las misiones de guaraníes

GUILLERMO WILDE

"Premio Iberoamericano Book Award" de la *Latin American Studies Association* (LASA, Toronto) a la mejor publicación sobre Latinoamérica en Ciencias Sociales y Humanidades

SERIE: HISTORIA AMERICANA
978-987-1984-62-6 / 516 págs.

"El premio se otorga a Guillermo Wilde en reconocimiento al trabajo sistemático, profundo y riguroso de su libro *Religión y Poder en las Misiones de Guaraníes*. En él confluyen la mirada histórica y la aproximación etnográfica en el ejercicio de una historiografía original, comprensiva de la experiencia vital de las misiones jesuíticas. El libro reconstruye la experiencia guaraní en su inserción en el sistema colonial entre los siglos XVII y XIX, discerniendo la trama de redefiniciones en la relación entre religión y poder a lo largo de la experiencia reduccional.
Tanto en sus acercamientos conceptuales así como en la metodología desarrollada, Wilde permite ver que los pueblos indígenas jugaron un papel activo en el proceso cultural llevado a cabo a partir de la conversión al cristianismo [...] negociando su concepción de tiempo y espacio de frente a los miembros de la orden jesuítica. [...] La escritura clara y fluida nutre una estructura sólida y de destacada densidad, con múltiples líneas analítico-reflexivas articuladas simultáneamente [...]".

Co-chairs Judith Boxer Liwerant (UNAM), Donna Guy (Ohio State University), Guillermo Alonso (UNSAM) y Luis Roniger (Wake Forest University), miembros del Comité de Selección.

"No es solo contra la imagen edificante y homogeneizante de la experiencia reduccional que Wilde escribe, sino también contra la idea moderna de una esencia guaraní impermeable que busca «permanecer en su propio ser» y resiste a cualquier transformación. Wilde recupera con brillo académico y literario la textura densa y singular de los contextos en que estuvieron insertos los guaraní a lo largo de más de 200 años. En la pluma del autor, ganan vida innumerables personajes guaraní, con nombre y apellido, moviéndose en situaciones sociales singulares. De este modo nos ofrece una visión en escala biográfica de eventos y estructuras ya narrados en escala más amplia. Con el cambio de escala, los "guaraní de papel" ganan nueva vida, ahora en carne y hueso."

Carlos Fausto (Museo Nacional, Universidad Federal de Rio de Janeiro).